QUE SAIS-JE ?

L'industrie du cinéma

JOËLLE FARCHY

Maître de conférences à Paris 11,
membre du Matisse à Paris 1

REMERCIEMENTS

Je remercie les membres du service des études, des statistiques et de la prospective du Centre national de la cinématographie pour leur aide statistique et documentaire ainsi que David Kessler pour sa relecture attentive du manuscrit.

DU MÊME AUTEUR

Le cinéma déchaîné, Presses du CNRS, 1992.
Économie des politiques culturelles, en collaboration avec D. Sagot-Duvauraux, PUF, 1994.
La fin de l'exception culturelle ?, CNRS Édition, 1999.
Internet et le droit d'auteur, la culture Napster, CNRS Édition, 2003.

ISBN 2 13 054299 9

Dépôt légal — 1re édition : 2004, mai

© Presses Universitaires de France, 2004
6, avenue Reille, 75014 Paris

INTRODUCTION

Lorsque, en 1937, A. Malraux publie un essai intitulé *Esquisse d'une psychologie du cinéma,* il ambitionne de mettre en évidence une dimension artistique bien peu reconnue à l'époque et conclut par une formule devenue célèbre : « Par ailleurs, le cinéma est une industrie. » Plus que « par ailleurs », le cinéma s'est développé dès son origine dans une logique de compétition acharnée entre quelques groupes industriels et en faisant appel à des technologies onéreuses en renouvellement permanent. Contrairement à la plupart des autres arts, le cinéma puise son essence même dans le lien inextricable entre la création et l'argent, le financement d'un long métrage étant très rarement à portée de bourse d'un individu isolé. De même que l'édition de livres est une activité qui, au milieu de livres de cuisine, de voyages, de dictionnaires, toutes sortes d'ouvrages pratiques et utilitaires, produit quelques grandes œuvres littéraires, le cinéma est une « industrie culturelle » qui, parfois, produit quelques chefs-d'œuvre artistiques.

L'Union européenne produit une quantité de films équivalente à celle des États-Unis (respectivement 625 et 611 en 2002). Les pays européens sont les plus ouverts aux cinématographies étrangères, 500 à 700 films différents y sont distribués chaque année. Avec 200 films produits, la France occupe une place privilégiée, se plaçant en 2002 au quatrième rang des producteurs mondiaux derrière l'Inde, les États-Unis et le Japon. Ce n'est pas un hasard si la bataille pour l'exception culturelle a puisé ses origines en France :

3

l'importance et la diversité de son industrie cinémato-graphique sans équivalent en Europe mais aussi une tradition séculaire d'investissement symbolique de la population et du pouvoir politique dans la production artistique expliquent un attachement au cinéma différent de celui de nombreux autres pays comme les États-Unis, la Grande-Bretagne ou l'Allemagne qui privilégient la tradition de l'*entertainment* (diver-tissement). L'approche du cinéma présentée dans cet ouvrage sera centrée géographiquement sur l'Europe et les États-Unis, principaux pays exportateurs de films.

Parler du cinéma, ce serait idéalement confronter en permanence les évolutions économiques, socio-logiques, technologiques et esthétiques. L'ambition plus modeste de cet ouvrage est de porter un regard d'économiste sur cette industrie particulière. Particu-lière en effet, dans la mesure où, comme toute « in-dustrie culturelle », le cinéma est marqué par les ten-sions entre l'importance de la phase de création d'un prototype et un processus industriel de fabrication et de diffusion soumis aux mêmes exigences de ren-tabilité que n'importe quel autre secteur d'activité. Les coûts fixes élevés de la création de prototypes doivent en effet être amortis sur un nombre élevé de consom-mateurs finaux qu'il faut conquérir un à un.

De cette tension « originelle » découlent toute une série de paradoxes. C'est autour de quelques-uns d'entre eux que s'organise la lecture de cet ouvrage. Au mythe de l'artiste solitaire s'oppose le travail col-lectif de fabrication d'un film, art du compromis entre des dizaines d'individus aux aspirations variées. Si le cinéma reste, symboliquement, fortement attaché au grand écran d'une salle, dans l'immense majorité des cas les spectateurs européens voient désormais les films sur leur petit écran domestique. La filière, soumise comme d'autres à la pression de l'internationalisation et de la concentration économique, doit assumer le besoin de diversité inhérent à toute création artistique. À l'étranger (en Europe, en Corée), le système de soutien public français est bien souvent envié par les professionnels alors qu'il est confronté à la multiplication des marchés, des formes d'œuvres audiovisuelles, à l'usure interne et aux pressions internationales de Bruxelles comme de l'OMC. Enfin, les seuls films qui circulent véritablement entre des pays européens aux marchés fragmentés sont ceux venus d'Hollywood.

UN TRAVAIL COLLECTIF
POUR UNE ÉCONOMIE DE PROTOTYPE

Dans les industries culturelles, la création en amont côtoie des phases de fabrication ou de distribution très proches de celles que l'on retrouve dans n'importe quelle autre activité. Alors que l'œuvre des poètes ou des peintres peut prendre naissance de manière solitaire et peu coûteuse et faire son chemin après la mort de l'auteur, le cinéma est une création collective, nécessitant d'importants moyens humains, financiers, le recours à des techniques lourdes et où se croisent des personnalités aux métiers et aux statuts très divers.

I. – Créateurs et auxiliaires de la création :
des métiers multiples

1. **Filière et répartition de la recette.** – À la création du prototype succèdent quatre phases bien différenciées, même si certains acteurs peuvent être présents à plusieurs étapes. D'un point de vue économique, la production est la fonction clé ; elle consiste à assurer la coordination entre l'ensemble des phases, afin de faire accéder la création au statut de marchandise vendue sur un marché. Cette phase est celle où la prise de risque apparaît la plus importante puisqu'elle nécessite de gros investissements financiers. La fabrication, quant à elle, correspond à la matérialisation d'une idée créatrice en un produit physique reproduc-

tible (impression d'un livre, pressage et conditionnement d'un disque, prestations des industries techniques pour le cinéma). À cette phase, succèdent celle de la distribution où le produit est mis à la disposition des détaillants, puis celle de la commercialisation auprès du public.

Le producteur est la personne physique ou morale qui prend l'initiative et la responsabilité de la réalisation d'un film. On distingue le producteur délégué, juridiquement propriétaire du négatif et des droits d'exploitation, qui répond économiquement de la bonne exécution du film, et le producteur exécutif, chargé par le producteur délégué d'assurer la fabrication du film. Le producteur gère les relations avec les différents intervenants (metteurs en scène, dialoguistes, techniciens, diffuseurs de télévision...) et surtout, en amont, prépare le montage financier. La fabrication est assurée matériellement par les industries techniques, qui permettent la réalisation de la copie zéro et des suivantes. Prestataires spécialisés, les industries techniques ne travaillent pas uniquement pour la filière cinématographique mais principalement pour les productions télévisuelles, publicitaires, institutionnelles, les éditions vidéo et multimédia. Elles regroupent des activités pour partie – économiquement la plus importante – liées au tournage (locations de plateaux, prestation de tournage vidéo, location de matériel) et pour partie liées à la post-production (laboratoires photochimiques, studios de doublage, duplication vidéo, auditoriums), et elles représentent en moyenne 15 % du coût d'un film. Très dépendantes d'un faible nombre de commanditaires (surtout les chaînes de télévision), ces industries sont soumises à une concurrence internationale accrue au sein de l'Union tout d'abord – selon le rapport Leclerc, le coût d'une journée de studio en France est supérieur de 20 % à celui d'une journée au Royaume-Uni – mais aussi en provenance des pays de l'Est (Bulgarie, Roumanie...) dont les avantages principaux sont l'espace, le faible coût de la main-d'œuvre et des charges sociales. Les délocalisations de la post-production et des tournages, bien réelles, apparaissent de manière nettement moins massive en cinéma qu'en télévision. L'évolution des matériels, parfois dépassés avant d'être amortis, les besoins de main-d'œuvre qualifiée, la longueur des délais de paiement contribuent à créer une situation de grande fragilité financière dont la mise en règlement judiciaire en 2003 des sociétés françaises Duboi et Duran, appartenant à un groupe internationalement reconnu pour son travail sur les effets spéciaux, est le symbole le plus éclatant.

Le métier de distributeur, dont Charles Pathé s'attribue la paternité dans ses mémoires, est, quant à lui, né quelques années après la naissance de l'industrie cinématographique. De 1895 à 1904, les films projetés dans des cafés, des foires, des salles de spectacles repassaient de salle en salle sans que le producteur ait le moindre renseignement sur le trajet accompli. Les producteurs de films – souvent en même temps réalisateurs – exploitaient en partie eux-mêmes leurs films et vendaient des copies à des organisateurs de spectacles forains. Les bénéfices éventuels, résultant d'une exploitation prolongée des copies, revenaient donc aux forains. En renonçant à la vente des films pour la remplacer par la location aux exploitants de salles, C. Pathé crée un nouveau métier, celui de distributeur, loueur de films. Avec ce système de location, les bénéfices résultant du succès d'un film reviennent au producteur, contrairement à ce qui se passait auparavant. La fonction contemporaine la plus classique du distributeur relève de la mise en place physique du film, ce qui signifie assurer l'approvisionnement optimal des salles et déterminer le nombre de copies à tirer. À cette fonction, s'ajoute celle d'une prise en charge de tous les problèmes et coûts liés à la sortie du film (financement de la promotion, matériel publicitaire). Le distributeur joue le rôle d'intermédiaire entre le producteur et l'exploitant ; avec l'exploitant, il loue un film ; avec le producteur, il achète les droits de passage temporaires et limités du film et est lui-même rémunéré en contrepartie de son travail d'approvisionnement. Dépassant son rôle de simple diffuseur, le distributeur a été un agent de l'organisation financière du cinéma sous la forme essentielle d'à-valoir sur les recettes futures, assorti ou non d'un minimum garanti. Ces à-valoir distributeurs ont été longtemps une pièce clé du montage financier des films européens. Pour obtenir la diffusion d'un film, le distributeur anticipe ses résultats, garantissant au producteur un montant minimal de recettes sur le film dont il prend la distribution en charge. Le minimum garanti est une avance du distributeur sur les recettes futures, remboursable sur la part des recettes producteurs. Le distributeur se rembourse de son minimum garanti si les recettes le permettent ; dans le cas contraire, le distributeur ne peut réclamer le reliquat qui reste acquis au producteur.

Le métier d'exploitant de salles n'est pas, non plus, né avec l'invention du cinéma. D'abord curiosité scientifique et foraine passagère, l'exploitation se poursuit dans tous les lieux (cafés-théâtres, cirques, églises, salles des fêtes) où l'on peut tendre une toile et faire asseoir les spectateurs, puis, progressivement, se rapproche du public avec l'établissement des premiers théâtres cinématographiques fixes uniquement consacrés au cinéma, ancêtres des salles actuelles. Le cinéma se sédentarise à partir de 1905 lorsque apparaissent des salles fixes en centre-ville qui lui sont exclusivement dédiées. Dès la fin des années 1910, la vogue des *cinés palaces* – des établissements démesurés aux décors pompeux accueillant des milliers de personnes – se répand aux États-Unis ; ces nouveaux temples du cinéma qui envahissent la France dans les années 1920 (le Gaumont Palace accueille 6 000 spectateurs) sont la figure emblématique de la modernité urbaine. L'âge d'or de la fréquentation après la Seconde Guerre mondiale est celui du cinéma de proximité ; dans tous les quartiers des grandes villes, dans les villages, les salles prolifèrent un peu partout et un public populaire d'habitués occupe chaque semaine la même place numérotée. Lorsque, dans les années 1960, la télévision pénètre dans les foyers, l'exploitation est caractérisée par un grand nombre de petits cinémas dispersés possédant une salle unique. La construction de complexes sera la grande réponse de la profession à la baisse de fréquentation des années 1960-1970. Plus jeune, plus citadin, plus cultivé, le public est en effet devenu plus exigeant avec l'apparition de la télévision. Les complexes présentent l'avantage de pouvoir toucher un vaste public en proposant aux spectateurs, sur un même lieu, une offre diversifiée lui permettant de profiter du caractère événementiel du lancement de nouveaux films. C'est en 1967 à Paris qu'apparaît la première forme moderne de multisalles (Les trois Luxembourg) de capacité unitaire réduite (une centaine de places). Ce type de construction se multiplie dans les années 1970, entraînant un fort mouvement de concentration de l'exploitation. Les quartiers de cinéma, au cœur des grandes villes ou dans les centres commerciaux des banlieues – véritable épicentre du mouvement –, se développent rapidement, succédant aux cinémas de quartier. La contrepartie d'une meilleure rentabilisation de l'espace occupé et de la diminution de frais de fonctionnement est la baisse de la taille des salles et des écrans qui aboutit à une altération du confort de vision et d'audition, et dont les cinéphiles finissent par se détourner.

L'exploitant aujourd'hui est celui qui gère la salle et accueille le public. La projection numérique risque, dans le futur, de modifier le métier. Les films numérisés et compressés peuvent être acheminés dans les salles non plus sous forme de bobines de pellicule mais sur support informatique (une dizaine de DVD par film), par faisceau satellitaire ou par réseau filaire à haut débit (fibre optique). Du point de vue géographique, pour les petites villes et les zones rurales, des offres innovantes sont possibles ; le VTHR est un réseau de vidéotransmission en haute résolution, filiale d'EDF qui propose aux collectivités locales depuis 1994 (300 clients en 2001) la retransmission en salle par satellite de spectacles ou d'événements sur équipements numériques. L'avantage essentiel de la projection numérique est de permettre des économies d'échelle importantes grâce à la disparition des frais de tirage (coût moyen de 1 000 € par copie argentique) et du coût d'acheminement des copies pour le distributeur. Pour se développer, cette technique suppose que les exploitants soient en mesure d'acheter des projecteurs numériques et s'équipent d'une cabine numérique. Au total, l'investissement pour une salle est estimé de 150 000 à 200 000 €[1]. En 2002, seule une quarantaine de sites dans le monde étaient équipés. Alors

1. Voir Bomsel, Leblanc, 2002.

que les économies d'échelle profitent avant tout aux distributeurs, les exploitants sont peu incités à investir, d'autant que les gains de qualité de projection numérique par rapport à une copie 35 millimètres sont loin d'être établis pour le spectateur, donc difficilement valorisables par des prix plus élevés.

Contrairement à la plupart des activités, l'industrie cinématographique ne fonctionne pas en vendant ses produits et en rémunérant les divers stades, de la fabrication à la diffusion, mais selon une opération complexe de remontée de la recette finale. L'exploitant touche un pourcentage de la recette selon un contrat de location négocié avec le distributeur qui lui-même répartit le reliquat entre le producteur et les ayants droit. Entre l'exploitant et le distributeur, la rémunération proportionnelle aux recettes, sans minimum garanti, est le mode dominant dans la quasi-totalité des pays européens. Les taux de location sont définis par le jeu de l'offre et de la demande, mais, dans certains États, ces dispositions sont encadrées par des accords interprofessionnels (Allemagne, Pays-Bas). Seules la Belgique et la France font appel à la loi pour fixer des normes. En France, la part prélevée par le distributeur (la « part film ») doit varier entre 25 et 50 % de la recette nette hors taxes. En pratique, les taux de location accordés par les exploitants français sont parmi les plus élevés d'Europe alors que les rapports concurrentiels entre distributeurs et exploitants sont plutôt défavorables aux premiers ; tous les nouveaux films sont loués au taux maximum (49 % en moyenne en 2002) et ce n'est qu'au bout de plusieurs semaines que l'exploitant peut négocier un léger rabais. Le distributeur verse ensuite une partie des recettes au producteur qui reverse lui-même un pourcentage aux auteurs. Ainsi, pour un prix moyen de

5,50 € payés par le spectateur en France en 2002, 0,90 € seront affectés au paiement des taxes (TVA et taxe spéciale), 2,20 € à l'exploitant, le solde se répartissant entre le distributeur, le producteur, les ayants droit et le prélèvement SACEM.

En France, en effet, contrairement à la musique, le cinéma (hormis la musique de films) comme l'édition de livres, où prévalent les relations contractuelles directes entre l'auteur et son partenaire (éditeur, producteur), échappent presque totalement aux sociétés d'auteurs. Seuls les droits sur la musique de films font l'objet d'un prélèvement de 1,5 % sur le prix net de chaque billet au profit de la SACEM ; la raison est historique : au temps du muet, la musique prenant la forme d'un accompagnement direct par un pianiste, relevait du répertoire de la SACEM ; avec l'arrivée du parlant, la SACEM obtint de continuer à percevoir des droits sur les recettes salles. Tous les autres auteurs sont rémunérés directement par les producteurs. Compte tenu de l'importance de la remontée de la recette pour les différents acteurs, celle-ci doit être précise et garantir une juste rémunération des ayants droit. C'est pourquoi la billetterie fait l'objet d'un contrôle du CNC. En 1940, les pouvoirs publics ont, de plus, imposé à tous les professionnels l'obtention d'une carte d'autorisation d'exercice ; conçue à l'origine pour éliminer certains « indésirables » (juifs, opposants politiques...), elle a perdu son caractère discriminatoire mais reste obligatoire dans la plupart des activités : producteur, exploitant, réalisateur... L'accès aux métiers est ainsi codifié, soumis à cooptation par le milieu, limitant l'entrée des nouveaux venus. Dans le court métrage, cette rigidité, difficile à respecter, favorise surtout les pratiques de prête-noms.

2. **Quels emplois, quels métiers ?** – Toutes les activités culturelles comprennent des emplois proprement artistiques (mise en œuvre de compétences particulières sur les contenus) mais aussi des personnes qui occupent des postes à caractère administratif ou technique. Compte tenu des difficultés méthodologiques d'évaluation et de l'hétérogénéité des sources, il est délicat d'avoir une analyse exhaustive de l'emploi culturel en Europe. Les chiffres couramment avancés sont de 2,5 % de la population active de l'UE si l'on inclut les emplois à caractère administratif et technique et 1 % si l'on ne retient que les emplois artistiques soit un peu moins de 2 millions de personnes[1]. Si l'on raisonne en termes de filière économique, l'emploi culturel devrait tenir compte à la fois de l'aval, de la commercialisation et de l'amont, c'est-à-dire de la fabrication des matériels et des supports mécaniques et chimiques de la création (pressage de DVD, par exemple). Or ces activités ne sont que très rarement prises en compte dans les statistiques de l'emploi culturel. En France, par exemple, la billetterie de cinéma est recensée dans les statistiques de l'emploi culturel alors que l'on ne tient pas compte du commerce de livres ou de disques pas plus que de la vente de téléviseurs ou de lecteurs de DVD.

Les carrières artistiques présentent des caractéristiques particulières qui semblent annoncer une évolution se généralisant sur l'ensemble des marchés du travail. Des études essentiellement anglo-saxonnes ont cherché à repérer le niveau de revenu moyen des artistes par rapport aux autres professions. Si l'on tient compte des trajectoires professionnelles et des

1. Voir Greffe, 1999.

gains réalisés sur l'ensemble du cycle de vie, la péna-
lité du choix d'une carrière artistique serait quasiment inexistante. R. Filer[1] en conclut que l'artiste
maudit, affamé – « the starving artist », selon le titre
de son article – est largement un mythe. Malgré ses
conclusions optimistes en termes de revenus, R. Filer
reconnaît l'existence d'un certain nombre de risques
inhérents au déroulement d'une carrière artistique.
Ce marché du travail représente un exemple presque
caricatural d'emplois précaires (le contrat à durée
déterminée y est la règle) et instables (fort taux de
chômage). Conséquence du sous-emploi chronique
des artistes, la multi-activité est la règle. L'importance de la multi-activité explique une contradiction
souvent repérable en matière de revenus. La plupart
des enquêtes américaines menées sur les revenus
des artistes concluent en effet à la fois à la faiblesse
des revenus artistiques et au fait que les artistes
ont des revenus globalement équivalents à ceux
d'autres professions. Au sein des professions artistiques, diverses enquêtes ont révélé l'extrême hétérogénéité des revenus. L'existence de quelques « super-
stars » qui cumulent l'essentiel des revenus et attirent
la demande des consommateurs traduit la forte
segmentation du marché du travail artistique. Une
étude portant uniquement sur les comédiens[2] établit
en 1994 leur revenu annuel moyen à 13 300 € et leur
revenu médian à 6 400 €. Un dixième des comédiens
a dépassé 26 000 € de cachets et 120 privilégiés ont
touché plus de 150 000 €. Les 10 % les mieux payés
se sont partagé 52 % de la masse des rémunérations ;
à l'autre extrémité de la pyramide, la moitié des

1. 1986.
2. Menger, 1997.

comédiens se partagent seulement 11 % du montant total des cachets.

L'analyse économique qui postule l'aversion à l'égard du risque comme norme du comportement individuel rationnel peut-elle expliquer l'engagement dans des carrières aussi incertaines et faiblement rémunératrices en moyenne ? L'engagement dans une carrière artistique est, la plupart du temps, considéré comme une vocation et l'artiste transformé en personnage charismatique mû par le seul besoin de s'accomplir dans l'expression de soi. A. Smith, dès le XVIIIᵉ siècle, soulignait les arguments non monétaires de certains choix : l'admiration publique est une partie décisive de la récompense de certaines professions. La création artistique occupe une place exceptionnelle dans les premiers écrits de K. Marx : le travail artistique y est conçu comme le modèle même du travail non aliéné par lequel le sujet s'accomplit dans la plénitude de sa liberté. Le prestige social, les gratifications psychologiques, les conditions de travail attrayantes, la faible routinisation des tâches sont autant d'éléments qui peuvent compenser des gains pécuniaires modestes. Cependant, les descriptions qui ont pu être faites du travail de certaines catégories d'artistes apportent des éléments de modération à ce type d'analyse. A. Smith apporte une deuxième explication au choix d'une carrière artistique qui sera reprise par A. Marshall au début du XXᵉ siècle. Des individus n'acceptent de s'engager dans un métier où leur avenir est incertain – alors que la majorité préfère des emplois sûrs et un éventail de gains plus resserré – que si les principaux gains sont très élevés : comme dans le cas d'une loterie, l'espoir de telles rémunérations lève alors l'inhibition à l'égard du risque. Comme dans le cas de la loterie, chacun ayant une confiance naturelle en sa bonne étoile surestime ses chances de succès et minimise ses risques d'échecs. Le rapprochement avec la loterie est cependant trompeur s'il fait penser que cette réussite est totalement aléatoire et sans rapport avec les caractéristiques des agents.

De nombreux métiers indispensables à la réalisation d'un film ne sont pas spécifiques ou exclusifs à l'industrie cinématographique. Beaucoup viennent d'autres industries : décorateur, tapissier, costumier ; d'autres partagent leurs savoirs entre plusieurs activités : scénaristes, régisseurs, comédiens... La division du travail est très poussée et chaque innovation technologique crée de nouveaux métiers, modifie ceux existants ou spécialise certaines fonctions. Lors de l'émergence du cinéma parlant durant les années 1920, les contraintes techniques qu'imposait l'enregistrement sonore obligèrent les techniciens à remodeler les méthodes de tournage ; les techniciens de l'image et du son se livrèrent bataille pour l'attribution de certaines tâches à leurs corps de métiers. C'est aujourd'hui l'exploitation des technologies numériques qui modifie à nouveau le travail. Le numérique, qui, en aval, concerne surtout le système d'équipement sonore des salles et la projection numérique, a plus d'impacts en amont de la filière, au niveau du tournage et de la postproduction. Dans le cadre du montage numérique, les images obtenues peuvent être stockées puis retravaillées, ce qui autorise un droit à l'erreur plus important lors des tournages, une plus grande flexibilité du travail ; contrairement à ce qui avait été envisagé, cette technique contribue cependant rarement à diminuer les coûts de production car des plans plus nombreux sont tournés. De plus, le numérique permet la réalisation d'images de synthèse qui se diffusent sous deux formes essentielles : les films d'animation (sorti en 1995, *Toy Story* était entièrement réalisé en images de synthèse) et le trucage numérique. Les Américains, qui ont une forte tradition de films à grand spectacle, ont très tôt intégré l'image de synthèse dans le long métrage, la considérant comme un des effets spéciaux parmi d'autres. Des films comme *Jurassic Park, Forest Gump* ont compté parmi les plus gros succès de ces dernières années. En France, *La cité des enfants perdus, Grosse fatigue* ou *La femme piège* exploitent de même des trucages conçus pour se voir à l'écran. D'autres trucages au contraire, réalisés sur quelques plans, ne sont pas destinés à être vus comme effets spéciaux mais permettent de contourner une difficulté de tournage ou de faire une économie de décor (en rajoutant des étages à un immeuble, en simulant des scènes de collisions entre deux avions, en multipliant les personnages...). Le numérique permet donc d'effacer, d'ajouter ou de multiplier des scènes, pour des films récents comme pour la restauration de films anciens (suppression de rayures et poussières afin de réparer le négatif maltraité).

Les métiers changent ; le cinéma nécessite la collaboration de décorateurs, de maquettistes, de maquilleurs, d'électriciens, d'éclairagistes, alors que l'univers numérique fait appel à des compétences nouvelles comme le graphisme (l'infographiste est un professionnel de la création et de la retouche d'images numériques) ou l'informatique (le créateur hypertexte est un informaticien qui réalise les liens logiques permettant de passer de manière non séquentielle d'un élément à l'autre). Ces nouveaux métiers posent des problèmes de formation et de statut des intervenants. Il s'agit en effet d'assurer un travail collectif dans des équipes auxquelles participent des collaborateurs relevant de conditions de travail, de rémunérations et de protection sociale très variées.

Sur le plan de la protection sociale, les travailleurs culturels ont, jusqu'à présent, été privilégiés en France. Les créateurs (auteurs et plasticiens) ont un régime qui leur garantit une protection comparable à celle des salariés. Depuis 1975 un régime spécifique de protection sociale a été créé, géré par deux caisses : l'AGESSA (Association pour la gestion de la Sécurité sociale des auteurs) dont relèvent écrivains, traducteurs, auteurs et compositeurs de musique, auteurs de cinéma et de télévision, photographes indépendants, auteurs de logiciels et la Maison des artistes pour les plasticiens. Les créateurs sont couverts pour les risques maladie, invalidité, vieillesse, décès, maternité. Pour le chômage, ils ne cotisent pas et ne perçoivent rien.

Pour les artistes-interprètes, un procès en 1909 a reconnu que les appointements qui leur étaient versés devaient être considérés comme des salaires. Cette jurisprudence a été officialisée par la loi du 26 décembre 1969 par laquelle tous les interprètes se voient accorder le statut de salariés. Aux travailleurs du spectacle vivant sont venus s'adjoindre ceux du cinéma, puis de la télévision. Les techniciens ont tantôt suivi, tantôt précédé le train des conquêtes sociales obtenues par les interprètes. Ces professionnels bénéficient de tous les avantages accordés aux salariés par le régime général de la protection sociale : prestations maladie, maternité, vieillesse, décès. Pour le risque chômage, contrairement aux créateurs, les salariés du spectacle bénéficient d'une situation privilégiée. Le système de protection s'est adapté à une situation où le chômage n'apparaît pas comme un accident de parcours mais comme une caractéristique de ces professions. Ce régime spécial – dérogatoire de la convention nationale de l'Union nationale interprofessionnelle pour l'emploi dans l'industrie et le commerce (UNEDIC), organisme paritaire qui réunit employeurs et salariés et régit l'assurance chômage des salariés du secteur privé – a été établi dès 1964 pour les techniciens du cinéma et de l'audiovisuel (annexe 8) puis élargi à tout le spectacle vivant – interprètes et techniciens – en 1969 (annexe 10). Les critères d'inscription à l'ANPE spectacle et ceux qui permettent l'ouverture de droits à indemnisations sont plus favorables que dans le régime général des salariés.

Sur le plan des rémunérations, deux types de formules atypiques, la rémunération ponctuelle par intermittence et les droits d'auteur, méritent un examen particulier.

II. – Qui est l'auteur du film ?

Historiquement, dans le cinéma comme dans le disque, la question du droit d'auteur ne s'est pas posée dès la phase d'invention. Considérés au départ comme des curiosités scientifiques, les problèmes de propriété intellectuelle concernent d'abord les appareils (qui relèvent du brevet), non les programmes. Lorsque le public s'intéresse aux programmes, la revendication de droits d'auteur n'est pas, non plus, spontanée. Historiquement, les revendications de droits d'auteur sont généralement le fait d'auxiliaires de la création dont les revenus diminuent suite à l'apparition de produits concurrents, non des auteurs eux-mêmes. Au début, le cinéma est considéré plus comme un divertissement que comme une forme d'expression artistique à part entière ; aucun droit intellectuel n'est revendiqué pour des créations ne durant que quelques minutes dont les thèmes se rattachent à des épisodes de l'histoire ou à des succès de cafés-concerts. Pour assurer le renouvellement des créations, les productions cinématographiques vont emprunter à partir de 1907 aux thèmes de la littérature et du théâtre. Ces adaptations donnent alors lieu à une série de procès en plagiat en France en 1908. Finalement, ce sont les conflits opposant écrivains et auteurs dramatiques aux professionnels du cinéma qui forcèrent les tribunaux à reconnaître le caractère d'édition des films, non le combat initial des auteurs de films. Ces actions aboutissent à la reconnaissance du statut d'œuvre aux films (par la Convention de Berne révisée en 1908) qui, seulement par la suite, donne lieu à des revendications au statut d'auteur. Au terme de la loi de 1957 sur le droit d'auteur, l'auteur de scénario, d'adaptation, de dialogues, de musique, le réalisateur, sont présumés coauteurs de l'œuvre de collaboration que constitue le film. Tous ces créateurs sont en principe rémunérés par des droits d'auteur proportionnels au succès des ventes. Depuis 1985, les interprètes perçoivent, de plus, des droits voisins. Les droits artistiques et l'interprétation représentent en moyenne respectivement 13 et 25 % du coût total de production d'un film en 2001[1]. Les lois de 1957 et de 1985 donnent, à ceux reconnus comme auteurs par la loi, des droits patrimoniaux et moraux.

L'existence du droit moral, reposant sur des bases plus éthiques qu'économiques, apparaît comme l'une

---

1. Selon une étude réalisée par le CNC sur un échantillon de 150 films français.

des grandes différences entre le copyright anglo-saxon et le système européen. La protection au titre du droit moral s'étend en France à tous les auteurs quelle que soit leur nationalité comme l'a illustré l'affaire « Huston » de refus de la colorisation, devenue une référence en matière de jurisprudence. La colorisation, l'interruption publicitaire, l'incrustation de logos sont autant d'atteintes à l'intégrité de l'œuvre que les réalisateurs, détenteurs en France du *final cut,* peuvent interdire. Aux États-Unis, il n'existe pas vraiment de parades juridiques permettant de s'opposer à la colorisation. En France, la durée de la protection ne concerne que les droits patrimoniaux, les droits moraux étant en principe perpétuels. Les héritiers perdent leurs prérogatives financières soixante-dix ans après la mort du dernier des auteurs mais peuvent, au nom du droit moral, continuer à exiger que soient respectés la personnalité de l'auteur et le caractère de l'œuvre. Contrairement au copyright américain, le droit d'auteur européen attache – sauf exceptions – le bénéfice initial du droit à une personne physique (l'auteur ou ses héritiers) et le refuse aux personnes morales (à l'exception notable des œuvres collectives pour lesquelles c'est généralement l'éditeur, personne morale, qui est titulaire du droit) alors que le copyright reconnaît des droits à l'éditeur ou au producteur. Lors d'un symposium international sur les droits des artistes en avril 1994 à Los Angeles, Milos Forman résumait ainsi la situation : « Qui était l'auteur de *Citizen Kane* hier, et qui en est l'auteur aujourd'hui ? Réponse : RKO en 1941, Turner aujourd'hui », c'est-à-dire les producteurs. Les conflits entre réalisateurs et producteurs pour la maîtrise de la version finale sont parfois violents mais ne doivent pas donner l'illusion d'une guerre permanente. La sortie d'un film dans une nouvelle version, celle voulue par le cinéaste (le fameux *director's cut*), est souvent devenue, dans la période récente, un simple argument marketing qui met en avant une plus-value parfois justifiée, parfois illusoire dans un secteur où la reconnaissance du statut d'auteur a été très problématique.

En France, l'auteur, personne physique, titulaire originaire de droits, peut néanmoins les céder. Dans certaines circonstances, cette cession est même présumée. La loi de 1957 présume le producteur cinématographique cessionnaire des droits des auteurs. La loi de 1985 a de même retenu pour l'audiovisuel la présomption de cession au profit du producteur des droits exclusifs d'exploitation d'une œuvre dès qu'un contrat le lie à un auteur et sous réserve de respecter le droit moral et les droits à rémunération. Il ne s'agit cependant que d'une présomption et une clause contractuelle contraire peut y déroger. Sans être titulaire des droits, le producteur présumé cessionnaire peut autoriser tous les modes d'exploitation de l'œuvre. Cette présomption ne doit pas être confondue avec le fait que les producteurs d'œuvres audiovisuelles sont titulaires de droits voisins, la loi du 3 juillet 1985 ayant reconnu leur rôle dans la création[1]. Dans la pratique, face au pouvoir économique des producteurs, les auteurs ne cherchent généralement pas à conserver leurs droits et recourent volontiers à une rémunération forfaitaire. Dans l'opération de remontée des recettes salles, celles-ci sont communiquées au producteur chargé de répartir

1. Alors que le producteur américain est titulaire du droit d'auteur, le producteur français n'en est que le cessionnaire. Il a donc le droit exclusif d'autoriser l'exploitation et la diffusion des œuvres. Ce droit d'exploitation du droit d'auteur peut être revendu, mais le titulaire des droits reste le même.

les droits entre auteurs (scénaristes, dialoguistes, réalisateur...) selon les termes du contrat ; s'ils prévoient des droits d'auteur, dans la pratique ces contrats instaurent le plus souvent un minimum garanti qui constitue une avance sur les droits à venir et, compte tenu de la faiblesse des taux consentis, les reversements ultérieurs de droits aux auteurs ont rarement lieu. Les contrats des réalisateurs prévoient la plupart du temps un pourcentage correspondant au droit d'auteur mais aussi un salaire pour leur travail de technicien ; le pourcentage étant souvent remplacé par un minimum garanti, ils reçoivent deux sommes forfaitaires différentes[1]. Lors de la vente de vidéos, les contrats de production prévoient les versements de droits pour les auteurs, mais, là encore, dans la pratique, prévalent des minima garantis. Enfin, dans le cas de la copie privée, la taxation est organisée auprès des fabricants et importateurs.

III. – L'intermittence ou la gestion flexible de la main-d'œuvre

Au cœur des modes de gestion de la main-d'œuvre dans les organisations culturelles se trouve l'intermittence, symbole même de l'emploi flexible. Ces intermittents du spectacle et de l'audiovisuel, qui alternent périodes d'emplois et de non-emplois avec employeurs multiples, bénéficient, en tant que salariés en France, d'un régime spécifique d'assurance chômage. Dans la plupart des autres pays, aucune terminologie spécifique n'apparaît et ces travailleurs rémunérés sous forme d'honoraires ont un simple statut d'indépendant beaucoup moins favorable. Le rapport

1. Thomas. Paris, 2002.

Marimbert, se fondant sur les chiffres issus de la caisse des congés spectacle et de l'ANPE, les évaluait à 24 000 en 1983, le rapport Vincent à 47 000 en 1991. L'ANPE en recense 60 000 en 1989 et plus de 100 000 en 2002. Si l'on retient les chiffres de 100 000 intermittents dans le spectacle vivant et l'audiovisuel et de 440 000 personnes exerçant une profession culturelle[1], les intermittents ne représentent que le quart des emplois culturels mais ils en restent la forme emblématique – au moins en France – compte tenu de la flexibilité qu'ils permettent. De plus, la proportion d'intermittents varie très fortement d'une activité à l'autre (plus de 90 % chez les comédiens). Dans la production cinématographique ou audiovisuelle, on trouve environ deux intermittents pour un permanent. En revanche, dans les activités de distribution et d'exploitation, ce pourcentage tombe à moins de un sur cinq[2].

S'il n'est pas récent, ce dispositif est resté marginal pendant bien longtemps. Il n'a véritablement pris son essor qu'à partir des années 1980 à la faveur de la croissance de la vie culturelle et de la privatisation de l'audiovisuel. Les chaînes ont alors transformé abusivement un système adapté à des professions atypiques en dispositif auxiliaire de leurs productions, permettant des rémunérations selon des méthodes d'un autre âge, c'est-à-dire à la tâche. Les prestations versées aux intermittents au titre de l'allocation chômage sont passées de 80 millions d'euros en 1984 à 952 millions en 2002 (versées à 102 000 professionnels) tandis que 124 millions seule-

---

1. Notes de l'Observatoire de l'emploi culturel, *DEP,* ministère de la Culture, n° 29, octobre 2002.
2. CNC-SJTI, 1997.

ment de contributions ont été versées[1]. Le déficit de 800 millions d'euros correspond à un quart du déficit global de l'UNEDIC. La Cour des comptes a chiffré pour 2001 le surcoût imputable aux avantages spécifiques du régime par simulation en faisant la différence entre leur coût actuel et ce qu'il serait si ceux-ci étaient soumis au régime général (annexe 4, celle qui s'applique à l'intérim) ; ce surcoût s'élève à 222 millions. Le statut déficitaire du régime est devenu au début des années 1990 un privilège dont le coût paraissait exorbitant. Rediscuté tous les deux ans au sein de l'UNEDIC[2], ce régime spécifique a donc donné lieu depuis quelques années à de virulents débats sans avoir été résolu. Beaucoup d'abus existent encore : recours des grandes entreprises de l'audiovisuel à des contrats par intermittence pour se dispenser d'établir des CDI, agrégation de métiers annexes à la culture, heures de travail non déclarées avec la complicité tacite des employeurs et des salariés... La flexibilité de la production artistique a des coûts sociaux qui sont actuellement supportés par un mécanisme de socialisation du risque professionnel. Au débat quelque peu stérile sur le coût de ce dispositif, doit se substituer celui sur la légitimité d'un soutien public à la culture et sur les moyens d'intervention les plus efficients. Les dispositions des annexes 8 et 10 constituent sans aucun doute une forme de transfert – longtemps peu visible au demeurant avant d'être soumis aux feux de l'actualité –

1. Ce déficit ne tient cependant pas compte des sommes versées au régime général de l'assurance chômage par les salariés permanents de la culture.
2. En théorie, l'État ne peut intervenir dans les négociations de l'UNEDIC, organisme paritaire entre le patronat et les syndicats. Toutefois le soutien des pouvoirs publics à ce système a constitué un élément déterminant de sa reconduction au cours des années.

de la collectivité vers ses artistes ; d'autres formes d'intervention peuvent être envisagées mais doivent être assumées. Vouloir à tout prix lutter contre les abus du système et limiter son déficit sans poser clairement la question du financement de la culture et en particulier de l'audiovisuel relève d'une cruelle mauvaise foi.

Outre le besoin de flexibilité, il est essentiel pour un employeur de tisser avec des artistes et des techniciens expérimentés, et peu substituables les uns aux autres, des liens qui dépassent le cadre limité d'un engagement ponctuel sur un projet et qui déboucheront ultérieurement sur le réengagement des plus compétents. Le mécanisme incitatif, qui est assez fort pour consolider l'engagement contractuel réciproque entre employeur et employé et assez souple pour préserver la flexibilité, est un mécanisme à la fois salarial et réputationnel[1]. En termes salariaux, il est courant de noter l'existence de taux de rémunération horaires plus élevés chez les travailleurs intermittents. La première explication est qu'il s'agit de compenser l'irrégularité du travail intermittent par des surrémunérations, préférables pour l'employeur aux hausses de coûts fixes qu'entraînerait la suppression de la souplesse du système d'embauche. Les théories économiques du salaire d'efficience ont avancé une tout autre explication à l'existence de salaires élevés. La firme va utiliser le salaire comme un moyen d'inciter ses employés à fournir le niveau d'effort adéquat, rendant ainsi peu profitable le comportement de « tire-au-flanc ». Les entreprises ont ainsi intérêt à fixer des salaires supérieurs aux salaires du marché afin d'inciter les salariés à hono-

1. Voir Menger, 1991.

rer convenablement leur contrat temporaire. Les modèles construits sur l'hypothèse de l'existence de
« coûts de rotation de la main-d'œuvre » constituent
une autre variante du salaire d'efficience. Les firmes
subissent des coûts d'embauche, de licenciement ou
encore de formation de leur personnel liés à la rotation de la main-d'œuvre. Afin de limiter cette rotation, elles peuvent maintenir un salaire plus incitatif
que celui auquel peut s'attendre un travailleur sor-
tant. On comprend ainsi qu'un employeur ait intérêt
à développer avec les intermittents des liens qui
dépassent un engagement ponctuel afin de limiter
les coûts de recherche et d'embauche d'un personnel nouveau. Les projets sont éphémères mais les
transactions s'effectuent entre un nombre limité
d'échangistes.

La réputation constitue en effet le deuxième mécanisme d'incitation à un haut degré d'engagement dans
une organisation par projet temporaire. Dans un univers professionnel où les habituels signaux institution-
nels de compétence (les diplômes) n'ont qu'une valeur
secondaire, la réputation constitue un mode d'information sur les aptitudes du personnel disponible rapide et tout à fait déterminant pour les employeurs.
Les « mondes de l'art », pour reprendre l'expression
du sociologue H. Becker, constituent en effet des réseaux structurés et relativement fermés. R. Faulkner[1]
a montré la stabilité de ce système pour une élite :
moins de 10 % des compositeurs de Hollywood écri-
vent 46 % des partitions pour les films qui utilisent
une musique originale, moins de 8 % des metteurs en
scène réalisent 36 % de ces films. Parallèlement, la réputation place celui qui en est l'objet (notamment les

1. 1982.

techniciens de haut niveau de l'industrie cinématographique) dans une situation d'*insider* sur le marché du
travail, lui permettant d'obtenir du travail dans de
bonnes conditions et lui procurant parfois une véritable rente de situation.

Chapitre II

À CHACUN SON ÉCRAN

La consommation croissante de films à domicile a joué, sans conteste, un rôle dans la baisse de la fréquentation, au cours de la grande vague d'équipement en téléviseurs des années 1960 puis durant la déréglementation de l'audiovisuel des années 1980 obligeant dans chaque cas les agents de la filière à réagir afin de séduire à nouveau le public des salles.

I. – Des films de plus en plus vus hors des salles

1. **Déclin de la salle.** – Dans ses recherches historiques, G. Sadoul fait remonter la première « crise » du cinéma mondial, qui faillit lui être mortelle, à... 1897 ! La démonstration scientifique paraissait terminée et chacun avait copié Louis Lumière, entraînant la désaffection du public, las de voir éternellement les trains entrer en gare, les bébés déjeuner ou les ouvriers sortir des usines. Au début du XXe siècle, le cinéma était à l'agonie, et c'est Georges Méliès qui, par son invention de la mise en scène, lui redonna un avenir. L'Union européenne a rassemblé 929 millions de spectateurs dans ses salles en 2002, ce qui traduit une érosion considérable au cours des trente dernières années (3 milliards de spectateurs en 1960). Les grandes tendances sont les mêmes partout : maturité du cycle de vie après la guerre, chute importante à partir de la seconde moitié des années 1950, stabilisation dans les

années 1970, nouvelle désaffection au cours de la décennie suivante. La perte moyenne des deux tiers des entrées est comparable dans toutes les nations européennes, quels que soient leur taille, leur population ou leur taux de fréquentation initial. Dans les années 1950, le cinéma, qui a conquis une sorte de monopole des loisirs populaires, atteint des taux de fréquentation record, éclipsant les autres spectacles. Les actualités cinématographiques sont alors, pour le spectateur, le seul moyen de porter un regard animé sur le monde. Trois pays, qui connaissaient une fréquentation annuelle avoisinant ou dépassant (pour le Royaume-Uni) le milliard, ont connu un fort déclin : l'Italie (112 millions d'entrées en 2002 après le pic de 1955), le Royaume-Uni (176 millions en 2002 après 1,6 milliard de spectateurs en 1946 et 53,8 millions en 1984) et l'Allemagne (818 millions en 1956, 164 en 2002, minimum en 1989 de 101 millions). La fréquentation moyenne de l'ensemble de l'Union européenne s'établit à 2,5 en 2002. Un Français allait en moyenne 9,3 fois par an au cinéma en 1957. Il y va 3,1 fois en 2002, soit trois fois moins souvent. Malgré cela, la France est devenue, à partir des années 1970, un des pays européens les plus cinéphiles (166 millions d'entrées en 2000, 184 en 2002).

Ces consommations sont très inégalement réparties dans la population. D'abord parce qu'il existe un public d'assidus, de découvreurs, et un public d'occasionnels, de suiveurs. En moyenne, un peu moins d'un Européen sur deux va au cinéma au moins une fois par an (59 % des Français de plus de 6 ans en 2002). Malgré l'infériorité de leur nombre, ce sont les spectateurs qui vont le plus souvent au cinéma qui fournissent la majeure partie des entrées. Les assidus (les Français de plus de 6 ans qui fréquentent les salles au moins une fois par semaine) représentent 4 % du public mais 30 % des entrées. D'un point de vue démographique, l'âge est déterminant pour expliquer les pratiques culturelles. Le public européen est plutôt jeune. Les moins de 25 ans représentent 38 % du public et 39 % des entrées dans les salles françaises en 2002. D'un point de vue géographique, les consommations culturelles croissent avec la taille de la ville. La ville de Paris fournit à elle seule environ un cinquième des entrées du pays (16 % en 2002). Paris et l'ensemble des agglomérations de plus de 100 000 habitants représentent 60 % des entrées. Cette supériorité s'explique à la fois par une offre très diversifiée et par un contexte sociodémographique favorable à la fréquentation : surreprésentation des cadres, des professions intellectuelles supérieures, des célibataires. L'appartenance socioprofessionnelle est en effet le troisième facteur déterminant des pratiques culturelles. Le cinéma en salle, initialement plus populaire – même si en 1958, pic souvent évoqué avec nostalgie, plus du tiers de la population était déjà exclu de cette pratique –, a retrouvé le sort économique commun à toutes les activités culturelles. La télévision mord sur le public populaire du cinéma comme le cinéma a mordu sur le public populaire du théâtre. Les membres des familles de cadres, professions intellectuelles supérieures et professions intermédiaires représentent, en 2002, 17 % de la population totale, 21 % du public cinématographique et 27 % des entrées ; les élèves et étudiants, 39 % des entrées. Malgré cette élitisation, le cinéma reste une des pratiques culturelles les plus accessibles à tous, qui touche assez largement toutes les catégories de population.

2. **Le cinéma à la maison... bien avant le numérique.** – Les différentes enquêtes sur les pratiques

culturelles font apparaître le glissement progressif, à partir des années 1970, vers des activités qui peuvent être pratiquées à la maison. Cette tendance généralisée à l'extension d'une « culture d'appartement » se traduit par le déplacement du centre de gravité des pratiques culturelles, du pôle livre vers les pôles image et son, et par l'achat massif de biens d'équipement sophistiqués (hi-fi, radios, téléviseurs, lecteurs de DVD) dont les prix relatifs diminuent progressivement. La culture d'appartement reflète d'abord l'importance de la télévision dont la consommation de masse s'est développée aux États-Unis puis en Europe dans les années 1960. La diminution du temps de travail a été largement absorbée par l'augmentation de l'écoute de la télévision, elle-même encouragée par une offre croissante de programmes parmi lesquels les films de cinéma occupent une place importante. Le volume de films diffusés par les télévisions varie beaucoup d'un pays à l'autre. En France, l'apparition de Canal + en 1984, puis des chaînes commerciales, a très fortement fait augmenter le nombre de films diffusés ; de la création de la troisième chaîne en 1975 à 1984, les trois chaînes publiques diffusaient en moyenne 500 films par an ; les téléspectateurs peuvent en voir 1 500 en moyenne à partir de 1995 sur les chaînes hertziennes (dont un tiers sur Canal +). Si l'on ajoute les films diffusés par le câble et le satellite, on obtient plus de 5 000 titres, sans compter les rediffusions.

Du côté des spectateurs, les modes de consommation comme les dépenses dans l'audiovisuel témoignent de cette nette évolution. Si, dans la plupart des pays, l'audience moyenne des films diffusés à la télévision a eu tendance au cours des dernières années à diminuer, il n'en reste pas moins vrai que l'essentiel de la fréquentation des films s'effectue encore sur le petit écran. Le nombre d'« entrées » cinéma, tous supports confondus, a été multiplié par plus de dix en trente ans en France, mais le lieu de la consommation cinématographique s'est profondément déplacé. L'écart entre la consommation de films en salles et la consommation de films à domicile se creuse de plus en plus à la fois en temps et en argent. Sur 100 films vus par les Français chaque année, 2 seulement sont vus en salles. De plus, depuis une vingtaine d'années, les dépenses en programmes audiovisuels font partie de celles qui augmentent le plus dans le budget des ménages qui y consacrent en 2002 trois fois plus d'argent en euros constants qu'en 1980 ; mais le cinéma, qui représentait près de la moitié des dépenses en programmes en 1980, n'en représente plus qu'un septième (14 %). En 2002, les Français ont dépensé environ 1 milliard d'euros pour une sortie en salles qu'ils trouvent bien souvent trop chère, alors que la consommation domestique, estimée quasi gratuite, a mobilisé près de 10 milliards si l'on ajoute les dépenses en équipement et en programmes hors cinéma.

La vidéo est l'autre grand gagnant de l'évolution des dépenses des ménages en audiovisuel. Les Français pratiquent peu la location (15 % des dépenses vidéo contre 85 % à l'achat en 2002 alors qu'en Europe la répartition est de 30 et 70 %). En ce qui concerne les achats, le commerce de détail est marqué par la forte présence de la grande distribution : 60 % du marché est réalisé par des distributeurs comme Carrefour, Auchan, Leclerc, Géant[1]. Conséquence directe de cette évolution des modes de consommation, la cul-

1. Syndicat de l'édition vidéo, 2002.

ture cinématographique s'acquiert d'abord hors des salles comme le révèle une enquête[1]. La plupart des jeunes générations font leur première expérience de cinéma sur petit écran ; grâce à la télévision et à la vidéo, des films qui n'attirent au moment de leur sortie en salle que des publics ciblés finissent avec le temps par intéresser des Français de toutes conditions. Habituel lieu de forte sociabilité, la salle perd ce monopole. Dans les multiplexes, le modèle d'optimisation des flux de spectateurs n'est pas toujours favorable à l'interaction sociale ; parallèlement les pratiques domestiques encouragent les échanges, notamment par le biais de la constitution de vidéothèques, véritables musées de cinéma privés.

3. **Des possibilités de consommation domestique accrues par les offres de diffusion numérique.** – Les techniques de compression numérique permettent d'envisager des formes de diffusion qui favorisent la consommation domestique déjà très présente. Ces nouvelles formes de diffusion supposent un équipement croissant des ménages en matériels et en terminaux liés à des réseaux. Deux terminaux pour l'instant distincts – mais qui tendront sans doute à se rapprocher au cours des années à venir – permettent aux consommateurs d'accéder à ces nouveaux services : l'ordinateur via le réseau Internet et la télévision via le réseau de télédiffusion ou l'utilisation de vidéos.

A) *La télédiffusion.* – Les centaines de chaînes de télévision qui composent aujourd'hui le paysage audiovisuel européen se répartissent selon leur contenu (généraliste ou thématique), leur mode de financement

1. Guy, 2000.

(chaînes en clair financées par la publicité ou la redevance, chaînes payées par le consommateur sous forme d'abonnement ou de PPV), leur mode de diffusion (par voie hertzienne, par câble ou satellite), leur couverture géographique auxquels s'ajoute la technologie de diffusion analogique ou numérique. Ces catégories se recoupent largement puisque les chaînes généralistes sont très majoritairement diffusées en clair par voie hertzienne en mode analogique tandis que les chaînes payantes sont principalement diffusées sur le câble et le satellite en analogique avec une transition plus ou moins rapide selon les pays vers le numérique.

La télévision diffusée en mode numérique multiplie les offres de chaînes disponibles et permet d'accéder à de nouveaux services notamment payants. L'introduction progressive du numérique dix ans après l'avènement de la télévision payante au milieu des années 1980 a surtout eu pour effet d'en amplifier considérablement les potentialités. Lors de son lancement en 1984, Canal + est pratiquement la première expérience de télévision à péage en Europe. Les services de télévision à péage peuvent être facturés au forfait mensuel mais aussi en fonction de la consommation par émission selon une grille de programmation proposée au spectateur à heures fixes (système de *pay per view,* paiement à la séance) ; ce système connaît un développement encore limité. Le système « multivision », disponible sur le réseau câblé français depuis 1994, a été le premier service de télévision avec paiement à la séance en Europe ; il permet aux abonnés de choisir un film ou un événement dans une sélection de programmes multidiffusés. La vidéo à la demande, quant à elle, fonctionne comme un vidéo club à domicile ; les images, stockées sous forme numérique, nécessitent – pour obtenir un catalogue équivalent à celui d'un vidéo club – une capacité informatique telle que des problèmes techniques rendent son développement difficile. Industrie naissante, la VOD concernait fin 2001 moins de 30 000 Européens[1] (essentiellement en Grande-Bretagne).

B) *DVD et home cinéma.* – En matière de vidéo, le numérique a d'abord permis la progressive substitution du DVD aux traditionnelles cassettes VHS. En 2002, le DVD a été le moteur de la croissance de l'industrie cinématographique, générant la plus importante source de revenus additionnels jamais créée à Hollywood en un temps aussi court avec cependant quelques contraintes. La sous-exploitation actuelle du patrimoine cinématographique en DVD (en particulier européen) tient en grande partie aux exigences spécifiques de ce support. Une qualité de copie acceptable en VHS ne l'est plus en DVD ; de plus, certains films qui trouvaient leur économie en VHS n'ont pas un potentiel commercial suffisant pour le DVD. La numérisation, l'*authoring* (conception de l'architecture interactive du disque), le pressage – opérations propres au DVD – portent le coût d'un master à plus de 10 000 €, contre 250 pour une VHS ; enfin s'ajoutent à ces coûts ceux liés à la production de bonus, à la restauration des copies et à l'inflation des droits vidéo que provoque le DVD.

Le marché en pleine expansion du cinéma à domicile (ce que l'on nomme le *home cinéma*) correspond à une solution intégrée comprenant un lecteur DVD, un amplificateur audio/vidéo ainsi qu'un ensemble d'enceintes. La croissance du DVD depuis 2000 a entraîné dans son sillage les autres équipements de *home ci-*

1. Syndicat de l'édition vidéo, 2002.

néma : télévision de grande taille, vidéoprojecteurs, écrans numériques extraplats, ampli-tuners. Des projecteurs numériques comme il s'en développe pour les salles de taille plus réduite peuvent permettre d'envisager des formes de projection domestiques proches de la salle. La spécialisation audio/vidéo des équipements s'efface (lecteurs DVD lisant des CD audio, chaînes hi-fi ajoutant la fonction DVD). La fonction lecture DVD devient une composante structurante des équipements numériques commune à plus de 3 millions d'appareils commercialisés en 2001[1]. L'enregistrement d'émissions de télévision par un ordinateur est désormais possible à l'aide d'une simple télécommande ; l'informatique familiale pourrait donc, à terme, se substituer au magnétoscope, voire à la télévision.

C) *Internet*. – Dans les industries culturelles, Internet est surtout un outil permettant de renouveler les méthodes de diffusion comme l'ont été la radio pour la musique ou la télévision pour les images en leur temps. Les modes d'accès peuvent être gratuits ou payants et les œuvres diffusées sous forme de produits édités traditionnels ou sous forme dématérialisée. Le commerce électronique, forme marchande de ces nouvelles modalités de diffusion, concerne pour l'instant essentiellement la vente de produits édités traditionnels (livres, disques, DVD...). La vente en ligne ressemble d'abord à une traditionnelle vente à distance par catalogue impliquant une logistique qui n'a rien de virtuelle : préparation des commandes, transports de produits, envois, constitution de stocks... Si les rayonnages infinis sont virtuels à l'écran, un bataillon

1. Simavelec, 2002.

d'employés parcourt quotidiennement des kilomètres pour remplir les cartons des clients d'Amazon. Même dans des secteurs particulièrement ouverts à l'entrée d'Internet, comme les biens culturels édités, le commerce électronique ne représente pourtant qu'une très faible part du chiffre d'affaires total : moins de 1 % du chiffre d'affaires des industries culturelles en 2000[1].

Internet permet aussi la multiplication de formes dématérialisées de diffusion, à la fois pour les productions récentes spécialisées et pour le patrimoine. Le cinéphile d'aujourd'hui peut découvrir en quelques cassettes et bientôt en quelques clics l'ensemble des œuvres d'Hitchcock alors qu'il aurait dû autrefois attendre parfois plusieurs années au gré des ressorties et des diffusions à la télévision. Pour les courts métrages, qui ont généralement des difficultés à rencontrer leur public, Internet représente une opportunité d'autant plus adaptée que leur format correspond au temps moyen passé devant un site qui est de 5 minutes. De plus, depuis quelques années circulent sur le Web des fictions que l'on nomme *digima* ou *web fiction*. Ces œuvres formatées pour être diffusées sur Internet, contraintes à une grande brièveté (environ 1 à 3 minutes d'images animées) en raison des temps de téléchargement, sont d'une grande variété, même si l'animation reste le genre le plus approprié. Comme pour le commerce électronique de biens édités, la diffusion de films sur Internet sous forme dématérialisée n'en est qu'à sa phase émergente ; la taille des fichiers n'a rien à voir avec celle des fichiers musicaux. La diffusion peut se faire par téléchargement intégral afin de voir le film ensuite *(downloading)* avec une qualité d'image proche de la vidéo ou par *streaming* (paquet par

---

1. Bipe, 2001.

paquet), ce qui permet d'accéder immédiatement au film sans de longs délais d'attente mais avec une qualité moindre d'image et de son et sans pouvoir enregistrer sur un disque dur, ce qui limite les risques de piratage. Le téléchargement, qui autorise la manipulation des fichiers après stockage (copie sur un DVD, par exemple), peut prendre plusieurs formes, du *peer to peer* (communication directe entre internautes) à la distribution par un opérateur central. À l'instar du MP3 dans la musique, le format Divx permet de comprimer un film qui peut ensuite être diffusé sur Internet avec une qualité visuelle et sonore comparable à celle d'une cassette VHS. Les étudiants américains férus d'informatique et bénéficiant sur leurs campus de connexions ultrarapides ont été les pionniers du téléchargement massif de films. Le téléchargement d'un long métrage sur ordinateur devrait être réalisable pour une plus large catégorie de la population internaute grâce à la généralisation du haut débit. La dématérialisation concerne pour l'instant essentiellement la circulation gratuite des œuvres, avec tous les problèmes de propriété intellectuelle que cela va poser, à l'instar de ce qui se passe déjà dans l'industrie du disque. Le cinéma comme la musique en ligne gratuits restent très populaires et les habitudes de consommation difficiles à changer.

II. – **Séduire le public**

Le point commun de toutes les formes de consommation à domicile est de permettre à n'importe quel individu, qu'il habite une grande ville ou une zone rurale, d'accéder de son fauteuil et, au gré de ses envies, à un immense choix de films, de morceaux de musique ou d'ouvrages. La logique d' « accessibilité » aux œuvres mise en avant par J. Rifkin[1] se substituerait donc à la demande de proximité géographique. Il est cependant peu probable d'envisager une totale substitution d'une consommation virtuelle à une consommation physique ; on risque plutôt de voir se développer des formes de complémentarité ; les enquêtes sur les pratiques culturelles des Français ont depuis longtemps montré que la consommation de films à la télévision ou en vidéo est plus cumulative que substitutive de la fréquentation des salles. D'un côté, de nombreux éléments font obstacle à la généralisation de la diffusion du numérique à domicile : obstacles à la fois sociologiques, technologiques (taille de fichiers nécessitant obligatoirement le haut débit auquel tous les Européens ne pourront géographiquement avoir rapidement accès) mais aussi économiques, d'abord parce que la concurrence de solutions gratuites rend difficile la mise en place d'un véritable modèle de financement pour les opérateurs, ensuite parce que, dans de nombreux cas, derrière l'illusion de la gratuité du cinéma à domicile se profile l'augmentation des dépenses d'équipement (*home cinéma,* par exemple). D'un autre côté, la salle conserve une aura symbolique auprès du public. Reste aux professionnels à attirer le public hors de son domicile pour se rendre dans les salles de manière générale, voir un film précis de manière plus particulière.

1. **Attirer le public vers les salles.** – Face à la multiplication des offres à domicile, l'exploitation développe des stratégies de reconquête du public basées sur les prix ou la différenciation des produits.

1. 2000.

A) *Prix et politiques tarifaires.* – La relation entre prix et consommations a fait l'objet de nombreuses polémiques. Pendant longtemps, la réaction de la profession à la baisse de la demande n'a pas été de diminuer les prix afin d'attirer une clientèle supplémentaire mais de compenser cette baisse par une augmentation des prix, quitte à décourager encore la clientèle et à recentrer la consommation sur les fractions du public les plus insensibles au prix. Dans la majorité des branches en déclin (sidérurgie, textile), si les prix ne baissent pas, les unités économiques diminuent leur production. L'originalité du cinéma est d'avoir connu à la fois des hausses de prix et un maintien de la production. L'hypothèse d'une forte sensibilité de la fréquentation au prix d'entrée est confirmée par un certain nombre d'études économétriques[1]. De plus, les consommations à domicile ont indéniablement bénéficié de l'évolution favorable de leur prix relatif par rapport à celui des salles. Il n'y a cependant pas d'explication possible de la fréquentation en termes de prix au niveau international. Le prix moyen du billet de cinéma dans les pays européens (environ 5,50 € en 2001[2]) cache de profondes disparités. Si l'on tient compte de la parité du pouvoir d'achat, on n'observe pas de corrélation linéaire entre le prix du billet et le niveau d'entrées par habitant. Les plus hauts taux de fréquentation sont atteints dans des pays où le prix est élevé (Pays-Bas) ou très faible (Portugal, Grèce, Espagne). Au total, des prix élevés semblent limiter la consommation mais de faibles prix ne suffisent pas à attirer les spectateurs.

1. Fernandez Blanco et Banos Pino pour l'Espagne, par exemple.
2. Observatoire européen de l'audiovisuel, 2002.

En France, UGC a lancé au printemps 2000 une première formule d'abonnement pour un nombre non défini de séances bientôt suivie par les autres circuits d'exploitants. L'hypothèse est d'accroître le rythme de fréquentation des plus assidus (en 2002, 1 % des spectateurs, soit 350 000 personnes, ont fourni plus de 10 millions d'entrées, soit 28 sorties annuelles par personne) afin d'obtenir un accroissement de la fréquentation. Les cartes ont surtout permis d'accroître les parts de marché des grands circuits (essentiellement d'UGC), notamment à Paris. Afin de préserver les exploitants indépendants, un dispositif législatif a été mis en place par la loi du 17 juillet 2001 qui astreint les éditeurs de cartes à associer les petits exploitants au système en cas de voisinage trop proche ou de position économique dominante, le manque à gagner étant garanti par l'opérateur de cartes d'abonnement. Ce système donne de nouveaux moyens de pression aux exploitants en remettant en cause le principe traditionnel de remontée de la recette auprès des ayants droit. Un prix de référence (fixé à 5,03 €) agit comme un maximum garanti aux distributeurs sauf lorsque le tarif plein de la séance est inférieur, ce dernier étant alors retenu comme base de rémunération des ayants droit. Cette base de calcul artificielle n'est plus liée au prix effectif payé par le spectateur pour assister à une séance. On peut se féliciter que 90 % des titulaires de cartes déclarent avoir élargi leur éventail de films, mais, en rendant les consommateurs captifs d'un circuit de salles, les cartes modifient les rapports de force entre professionnels et le rapport privilégié des spectateurs à une œuvre précise.

B) *Les multiplexes, une réponse à la multiplication des offres à domicile.* – Face à la concurrence accrue des offres à domicile, l'exploitation a massivement investi au cours des dix dernières années afin de proposer une offre différenciée. Cette stratégie de différenciation qui, plus que la recherche de minimisation des coûts, semble caractériser les multiplexes, prend deux formes : la différenciation par la qualité technique des équipements (taille de l'écran, son, confort des sièges...) et la différenciation par la qualité des services proposés (parkings gratuits, espaces d'accueil, restauration, gardes d'enfants...).

Importé des États-Unis, le concept s'étend dans toute l'Europe, sous l'impulsion d'opérateurs américains, via le Royaume-Uni tout d'abord, dès 1985. Sur le continent, le groupe Bert ouvre dans la banlieue de Bruxelles en 1988 le premier Kinépolis tandis que ces nouveaux équipements font leur apparition en Espagne et en Allemagne (1990) puis aux Pays-Bas, en Italie et en France. C'est en 1992 que Pathé lance la construction des deux premiers multiplexes français, de 12 salles chacun, l'un près de Toulon et l'autre dans le centre commercial « Belle Épine » de la banlieue parisienne. Début 2002, on recense en France 103 multiplexes en activité qui regroupent 1 241 écrans. En 2002, les écrans faisant partie de multiplexes représentent environ 32 % du nombre total d'écrans dans les pays de l'Union[1]. Il n'existe pas de définition unique des multiplexes. Pour l'organisme européen *Média Salles,* il s'agit d'une entreprise de cinéma d'au moins huit écrans bénéficiant d'un haut niveau d'entrées par fauteuil et incluant des services annexes. Ce seuil est celui retenu dans la plupart des pays européens à l'exception notable du Royaume-Uni où le multiplexe peut désigner des équipements de

1. Média salles, 2002.

cinq salles seulement. En France, la loi du 5 juillet 1996, relative au dispositif d'autorisation pour ce type d'équipement, définit un nombre total de places plancher à partir duquel le dispositif s'applique ; ce seuil a été abaissé à 800 places en 2001 puis 300 en 2003. Ces modifications du seuil d'autorisation coïncident avec le développement de multiplexes de plus petite taille (nombre de salles inférieur à 10) implantés sur des marchés plus restreints. L'idée du multiplexe, supermarché du cinéma, uniquement localisé dans les zones commerciales de la périphérie, relève largement de l'image d'Épinal. Sur les 103 multiplexes fonctionnant début 2002, la majorité (49) sont bien localisés en périphérie mais 37 sont en centre-ville et 17 dans une situation excentrée. Aujourd'hui, avec le développement d'équipements de moindre capacité, le terme « multiplexe » fait plus référence à un ensemble de prestations (salles en gradin, écrans mur à mur, son numérique, restauration) qu'à la seule taille des équipements.

En dehors de la Belgique et de l'Allemagne, la reprise de la fréquentation en Europe est antérieure à la construction de multiplexes mais ceux-ci ont largement amplifié le mouvement. S'ils provoquent l'arrivée de nouveaux spectateurs, les multiplexes entraînent aussi une désaffection des salles se situant dans leur zone de chalandise : 40 % de spectateurs en moins pour les autres salles de Bruxelles, − 37 % à Toulon un an après la construction du multiplexe Pathé... Une étude réalisée en France[1] tend à montrer que l'ouverture de multiplexes provoque une baisse sensible de la fréquentation des cinémas de type commercial généraliste situés dans une zone de

1. CNC-Info, septembre 1997.

chalandise de 30 minutes mais qu'à l'inverse les salles « art et essai » résistent bien lorsqu'elles revendiquent une identité propre. Des études plus récentes témoignent cependant de l'émergence d'une concurrence sur les films art et essai les plus porteurs dans plusieurs grandes agglomérations.

2. **Attirer le public vers un film.** – Alors que le choix potentiel des consommateurs est immense, les entrées se concentrent sur un nombre réduit de titres qui sortent dans des combinaisons de salles de plus en plus importantes. Chaque film réalise son potentiel d'entrées sur une période de plus en plus courte. Alors que dans les années 1960 un film effectuait sa carrière en salle sur deux ou trois ans, dans les années 1970 il réalise 80 % de ses recettes dans les quatre premiers mois d'exploitation et ce même pourcentage dans les quatre premières semaines en 2002. Beaucoup de sorties sont purement techniques, servant de point de départ à un compte à rebours afin de déclencher une sortie vidéo et une diffusion télévisuelle. Les deux tiers des films demeurent moins de deux mois à l'affiche. En 1962, les 13 plus gros succès de l'année réunissaient 7 % des entrées totales ; en 1974, ils font 18 % d'entrées et 34 % en 2002. En 1993, deux films, *Les visiteurs* et *Germinal,* ont, à eux seuls, engrangé près de la moitié des recettes du cinéma français. En 2002, sur plus de 500 films distribués en France, 100 ont réalisé 80 % des entrées et les 20 premiers 44 %. L'embellie du cinéma français en 2001 a surtout profité à quelques titres phares comme *Le fabuleux destin d'Amélie Poulain* et en 2002 *Astérix et Obélix, mission Cléopâtre* comme *Taxi 3* ont bénéficié d'une sortie dans 900 salles, soit un cinquième du parc français total ; jusqu'en 1973, une sortie sur plus de 20 salles sur Paris et

Périphérie correspondait à un titre exceptionnel et 25 écrans représentaient un maximum absolu. Aux États-Unis, il n'est pas rare de voir un gros succès sortir sur plus de 3 000 copies.

Les débouchés des nouveaux supports de diffusion augmenteront-ils l'exposition des mêmes œuvres grand public ou vont-elles favoriser la diversité culturelle ? Des centaines de chaînes de télévision, des milliers de sites web peuvent exister et diffuser toujours des contenus similaires. Lorsque le support vidéo s'est développé il y a une vingtaine d'années, beaucoup espéraient trouver dans les vidéothèques des films invisibles en salles ou à la télévision. La vidéo, dans la pratique, a favorisé les *blockbusters* (grosses productions hollywoodiennes rentables) au lieu d'augmenter la diversité. De même, la multiplication du nombre de films diffusés à la télévision ne s'est pas accompagnée d'un élargissement des œuvres proposées. Par le jeu des rediffusions et des recombinaisons, les bouquets numériques ont vocation à exploiter plus intensément des catalogues de droits mais la création supplémentaire est loin d'être assurée en quantité comme en qualité. L'accès à domicile de films portugais ou finlandais, théoriquement possible, n'empêchera pas le public – comme cela se passe actuellement – de se retrouver autour de quelques *best-sellers* dont il a entendu parler.

Les stratégies marketing visent précisément à optimiser la dynamique du produit et à créer les conditions qui assurent que la demande converge vers des produits bénéficiant de promotions intensives[1]. Les Européens, même s'ils se sont toujours préoccupés d'attirer les spectateurs, regardent avec beaucoup de

1. Creton, 1994.

suspicion ces stratégies, soupçonnées d'être trop proches des pratiques hollywoodiennes de pur divertissement. Beaucoup de commentaires peuvent être produits sur les raisons du succès ou de l'échec d'un film mais il est toujours très difficile de le prévoir, malgré de gros budgets, des stars à l'affiche ou un scénario sophistiqué. Ces outils utilisés avec réticence de ce côté de l'Atlantique ont cependant parfois le mérite d'ajuster, comme dans n'importe quel spectacle vivant, le film aux réactions des spectateurs. En amont du tournage, les tests de concepts et de casting sont les principaux outils permettant de tester l'impact du scénario et des comédiens sur le public. Après la réalisation, le titre, la bande-annonce peuvent eux aussi être testés. Les *préviews* ou tests d'avant-première, utilisés depuis fort longtemps, permettent de perfectionner le montage ou de modifier des scènes.

En matière de promotion, aux États-Unis – pays qui comme l'Allemagne ou l'Italie autorise la publicité pour le cinéma à la télévision – cette dernière absorbe la majeure partie des budgets qui dépassent parfois les coûts de production. Les majors dépensent chaque année le tiers des recettes salles à la promotion de leurs films. L'importance des budgets et les succès au *box office* deviennent eux-mêmes des arguments de valorisation du film dans les médias. En France, la publicité pour les films étant interdite à la télévision, les dépenses se concentrent, de manière assez standardisée quel que soit le film, à 80 % sur l'affichage en région parisienne alors qu'il s'agit du média de promotion auquel les spectateurs sont le moins sensibles. L'autorisation de la publicité pour le cinéma à la télévision alimente des débats récurrents entre ses partisans, persuadés qu'elle permettrait de relancer la fréquentation globale, et ceux qui redoutent d'accroître le fossé entre petites et grosses productions, notamment américaines. Alors que la publicité pour le livre (hors câble et satellite depuis 2003) comme pour le cinéma est interdite à la télévision, cette interdiction a été levée pour le disque en 1988. Dans les pays européens qui autorisent cette pratique, la part de films locaux dans les dépenses de publicité est faible en regard des sommes investies par les majors américaines (ce qui témoigne aussi de la faiblesse du nombre de films nationaux produits dans ces pays). L'Espagne a, quant à elle, adopté une solution originale puisque les éditeurs souhaitant faire de la promotion dans les médias bénéficient d'une réduction qui peut aller jusqu'à 30 % (forme de subvention). Une telle forme d'intervention, si elle est sélective, permet de résoudre le problème d'accès des petites firmes aux médias tout en augmentant les ventes liées à la connaissance des produits par le consommateur comme dans n'importe quelle activité.

Banni officiellement de la télévision française, le cinéma y est pourtant présent sous de nombreuses formes. D'abord parce que la critique s'est en grande partie transformée en système d'informations-promotions sur l'actualité cinématographique, notamment sur les chaînes coproductrices : les comédiens et réalisateurs invités sur les plateaux offrent à la fois une bonne audience aux émissions concernées et la gratuité de leurs prestations. De plus, l'interdiction formelle de la publicité coexiste avec le droit d'asile[1] qui « consiste à placer dans le déroulement d'un film ou d'une œuvre audiovisuelle un produit et/ou un service ou sa représentation qui sera là "comme par hasard" et qui s'affichera ostensiblement sans pour autant être

1. Voir Duchet, 1999.

décodé comme étant une donnée relevant d'une stratégie économique de la part du producteur et du réalisateur et d'une stratégie marketing de la part de l'annonceur » (p. 90). Cette stratégie de placement de produits qui consiste pour l'annonceur à insérer sa marque dans une œuvre audiovisuelle n'est d'ailleurs pas nouvelle et l'on en trouve des traces à Hollywood dès les années 1950.

Chapitre III

UNE FILIÈRE CONCENTRÉE
AU RISQUE DU MANQUE
DE DIVERSITÉ CULTURELLE

L'analyse de la concentration conduit à relever deux éléments clés : une structure d'oligopole à frange, la domination de grandes firmes souvent intégrées verticalement s'accompagnant de la présence de firmes indépendantes, et une concentration en entonnoir, croissante de l'amont vers l'aval de la filière. La frange concurrentielle se caractérise par la faiblesse de ses parts de marché, par la fragilité structurelle des petites firmes qui la composent et par la liberté d'entrer dans la branche (la jeunesse des entreprises constituant un bon indicateur de cette liberté d'entrée). L'essentiel de la frange est constitué de sociétés de production. Les possibilités d'entrée des firmes indépendantes ne sont en effet pas homogènes ; elles se font aux stades de la filière où la domination des majors s'exerce de manière moins importante. Les majors dominent les filières en contrôlant les stades de la reproduction industrielle et de la diffusion des produits qui correspondent aux fonctions les plus homogènes. Ces stades sont en effet plus propices à une concentration fondée sur des critères technologiques traditionnels de coûts que le stade de la production, pour lequel l'hétérogénéité des produits, d'une part, la déconnexion des coûts de production et du succès potentiel des œuvres, d'autre part, favorisent une structure plus atomistique. La concentration désormais classique de l'industrie cinématographique selon un schéma d'oligopole à frange s'accompagne depuis quelques années de l'insertion de nombreuses entreprises dans d'immenses groupes de communication aux activités multiples. Le pouvoir économique de ces quelques groupes suscite bien des interrogations en matière de diversité culturelle.

I. – Une structure oligopolistique

Contrairement à l'édition littéraire dont la concentration s'est accentuée depuis la fin du XIXe siècle, le disque et le cinéma se sont constitués, presque dès l'origine, dans un cadre oligopolistique. Dans chaque industrie dominent quelques groupes : puissants au niveau mondial pour le disque, au niveau européen pour le livre, et au niveau essentiellement national pour le cinéma. En France, deux des firmes qui dominent aujourd'hui le marché, Pathé et Gaumont, sont aussi anciennes que l'industrie cinématographique elle-même, cette situation reflétant la domination du cinéma mondial par la France au début du siècle. Le troisième groupe dominant, UGC, a émergé de manière plus tardive, avec la protection des pouvoirs publics dans le contexte particulier de l'après-Seconde Guerre mondiale. Après avoir été la seule entreprise publique d'exploitation et de programmation, ce circuit est privatisé en 1971. Aujourd'hui, ces trois firmes dominent largement le marché national et intègrent l'ensemble des activités de la filière, même si leur poids est différent selon que l'on s'intéresse à la production, la distribution ou l'exploitation. La structure de leur actionnariat (autonomie familiale chez

Gaumont[1], majorité d'actionnaires fondateurs et présence de Vivendi chez UGC, propriété d'un groupe industriel chez Pathé[2]) influence largement les stratégies suivies.

1. La production : domination des petites structures et concentration accrue.

– La production européenne de longs métrages est réalisée en majorité par des firmes de dimension modeste, dont le nombre en activité peut être estimé entre 800 et 1 000 selon les années. La structure de production en studio réalisant un gros volume de films, caractéristique de l'industrie hollywoodienne, n'est guère répandue en Europe. Beaucoup de petites sociétés n'ont qu'une existence épisodique et ne sont créées que pour les besoins d'un film précis. Entre 500 et 700 films sont réalisés en Europe chaque année dont plus de la moitié en provenance de la France, de l'Italie et du Royaume-Uni. La France à elle seule en fournit près de 200 par an ; c'est là que le nombre de premiers films est le plus élevé au monde (plus d'une cinquantaine par an au cours de la période récente). Au cours des dernières années, les coûts de production ont connu de fortes augmentations. Le budget moyen d'un film européen, bien qu'infiniment moins élevé que celui d'un film américain (50 millions d'euros en moyenne pour une major américaine, 9 millions en Grande-Bretagne, 4 millions en France, 2 millions en Italie[3]), est en constante augmentation afin de satisfaire la demande de films-événements. En France, les chiffres qui servent de base aux statistiques officiel-

1. En 1974, un héritier de la famille Schlumberger, Nicolas Seydoux, a pris le contrôle de Gaumont.
2. En 1990, Pathé a été racheté par le groupe Chargeurs dont le président, Jérôme Seydoux, est le frère de Nicolas.
3. OEA, 2002.

les en matière de coûts de production ne doivent pas être pris au pied de la lettre car ce ne sont que des devis estimés *ex ante* et, de plus, aucune autorité publique n'a accès à la comptabilité des producteurs. Quelques grandes tendances sont cependant repérables. Le coût moyen d'un film d'initiative française[1] est resté relativement stable de l'après-guerre au milieu des années 1970 pour augmenter régulièrement ensuite et atteindre 4,4 millions d'euros en 2002. Ces tendances moyennes masquent la dispersion entre les films à petits budgets et à gros budgets (jusqu'à 75 millions d'euros pour *Le cinquième élément* de Luc Besson). En 2002, 14 films d'initiative française ont coûté plus de 10 millions d'euros tandis que, à l'autre bout de l'échelle, 41 films ont coûté moins de 1 million. L'augmentation du coût moyen ne traduit pas seulement la présence croissante de films à très hauts budgets mais aussi la dérive du coût de production de l'ensemble des films. Elle semble liée à une stratégie de fuite en avant organisée par les producteurs qui, face à une situation d'incertitude, produisent des films de plus en plus chers censés attirer davantage le public.

L'importance des chaînes de télévision dans la production cinématographique contribue à développer la concentration à ce stade, même si l'atomisation reste la règle. En France, les filiales de chaînes puissantes ont acquis un poids de plus en plus important dans la prise en charge de films aux budgets élevés. C'est d'ailleurs pour lutter contre cette forme de concentration qu'un décret de 1996 a imposé aux chaînes en clair de confier 75 % de leurs productions cinématographiques à d'autres sociétés que leurs filiales. La so-

---

1. C'est-à-dire intégralement français ou de coproduction à majorité française.

ciété de L. Besson, EuropaCorp, est en passe de devenir un studio complet, à l'image de ses homologues américaines.

2. La distribution européenne, maillon faible de la filière. – L'Union européenne compte environ un millier de sociétés de distribution en 2002. Au-delà de cette fragmentation apparente, la distribution est dominée par les filiales des majors américaines et traversée par les conflits entre distribution indépendante et distribution intégrée. Intermédiaire entre la production et l'exploitation, la distribution reste le maillon le plus fragile de la filière : en amont, les structures de distribution paraissent inadaptées au niveau de production ; à l'aval, elles parviennent difficilement à lutter contre la concentration croissante de l'exploitation. La distribution de films français est fort peu rentable et les trois quarts des films ne parviennent pas à couvrir leurs frais d'édition. Un distributeur peut cumuler son activité avec celle d'exploitant (UGC, Pathé, Gaumont, MK2...), se limiter au rôle d'intermédiaire, ou encore ne se fixer comme but que la fourniture de deux ou trois points de vente. Le distributeur indépendant qui ne dispose pas de salles est désarmé face aux circuits d'exploitants : lorsque les salles étaient indépendantes, le distributeur plaidait la cause du film autant de fois qu'il y avait d'exploitants ; face aux circuits, le distributeur, s'il ne convainc pas son interlocuteur, ne verra pas son film passer dans les salles. Les salles indépendantes véritablement accessibles aux petits distributeurs se rétrécissant, les circuits constituent souvent pour eux un point de passage obligatoire. Ceux-ci tendent à privilégier les films maison pour lesquels la compagnie a consenti une mise de fonds, au détriment du film extérieur pour lequel elle n'est intéressée qu'à la part salle. De plus, les circuits refuseront plus facilement l'entrée de leurs salles à des petits distributeurs qu'à des distributeurs importants, notamment américains, qui risqueraient ensuite de ne pas alimenter leurs écrans. Le plus gros problème n'est pas tant celui de l'accès aux circuits – les programmateurs parfois encombrés de circuits surdimensionnés sont demandeurs de films auprès des distributeurs – que celui des conditions de programmation ultérieures (date, nombre et qualité des salles, durée). Un film aux résultats honorables pourra être déprogrammé ou voir sa combinaison de salles diminuer afin de placer un film maison ou un film américain porteur. La possibilité d'intégration verticale à large échelle entre activités de distribution et d'exploitation pose donc des problèmes importants de diversité de l'offre. En France, en 2002 parmi les 89 distributeurs ayant participé à la sortie de nouveaux films, 10 d'entre eux ont réalisé 90 % de parts de marché. Parmi ces sociétés, se trouvent les filiales des groupes américains, traduisant une forte pénétration du capital étranger dans la distribution, moins élevée cependant que dans la plupart des pays européens en dehors des cas du Danemark ou de la Norvège. À côté des filiales des majors Américaines se trouvent les majors françaises, souvent alliées aux américains, Gaumont-Buena Vista International, UFD (UGC-Fox) et Pathé Distribution, actives de l'amont à l'aval de la filière.

3. **L'exploitation, lieu de domination des circuits nationaux.** – Si l'on prend comme univers de référence le marché européen, la place des firmes leaders apparaît modeste. Au niveau national les choses sont différentes puisque quelques groupes dominent chaque

marché. Un exploitant peut soit rester indépendant et s'approvisionner directement auprès des distributeurs, soit s'adresser à un groupement ou à une entente de programmation qui assurent en commun la programmation de plusieurs salles et cherchent chaque semaine à optimiser l'approvisionnement en films de ce groupe d'établissements. Le métier de programmateur, qui était apparu dès avant la guerre, prend son importance au milieu des années 1950. Le programmateur qui prend en charge des salles, non des films comme le distributeur, perçoit une rémunération de l'ordre de 1 à 3 % de la recette nette guichet. Le premier pôle d'importance (plus d'une centaine d'écrans) a été constitué par le rapprochement Pathé-Gaumont en 1967, formalisé par un GIE (Groupement d'intérêt économique) de programmation en 1970. Dans le cadre de la réforme de la programmation en 1982, la dissolution du GIE par les pouvoirs publics visait à contrecarrer la domination, considérée comme excessive, de grands groupes d'exploitation concentrés aux dépens des indépendants et des distributeurs non intégrés (ne s'appuyant pas sur des réseaux de salles). Pourtant, la concentration n'a fait que s'accentuer depuis. Le poids des ententes régionales et locales de programmation rend de plus en plus rares les salles réellement indépendantes. En 1992, l'accord de cessions de salles signé entre Pathé et Gaumont à Paris et dans cinq villes de province a fait, en éliminant leurs zones de concurrence, resurgir des craintes exprimées de manière régulière par les indépendants depuis le rachat de Pathé, lesquels voient, à travers la double présence des frères Seydoux dans le milieu cinématographique, le symbole de la renaissance du GIE Pathé-Gaumont. En 2001, Gaumont et Pathé ont effectivement conclu un accord sur l'exploitation regroupant environ 700 salles dans une nouvelle entité, Europalaces, présente en France mais aussi aux Pays-Bas, en Suisse et en Italie. Entre les salles dont ils sont propriétaires et celles dont ils assurent contractuellement la programmation, ces groupes contrôlent une grande partie des fauteuils et des recettes (en 2001, 27,4 % des recettes sont réalisées par Europalaces et 19,8 % par UGC). Europalaces est, en 2001, le premier groupement de programmation avec 757 écrans, contre 449 pour UGC.

Le renouveau actuel des salles se fait au prix d'une concentration accrue à travers le développement des multiplexes. Face aux désagréments liés à la fragmentation en salles minuscules dans les années 1970, s'est produit un mouvement inverse avec l'émergence des salles de grande dimension, au confort et à la qualité technique parfaits. Le nombre d'écrans en Europe a diminué de 25 % entre 1981 et 1991. La tendance s'est ensuite inversée et l'on en dénombre près de 25 000 en 2001[1]. Avec 5 236 salles actives en 2001[2], le parc français reste le premier d'Europe occidentale. La relative stabilité du nombre d'écrans depuis trente-cinq ans (il y en avait 5 093 en 1967) ne doit pas masquer les profonds bouleversements. Paris offre toujours autant d'écrans qu'il y a trente-cinq ans (301 en 1966, 326 en 1994, 373 en 2001) mais certains quartiers se sont vidés de leurs cinémas et le nombre d'établissements s'est vu amputé des deux tiers de 1966 à 1994 (301 en 1966, 99 en 1994) pour se stabiliser ensuite (94 en 2001). Du point de vue de la concentration géographique, appréhendée ici par la diversité du nombre d'établissements, il semble que l'essentiel des évolutions ait eu lieu avant l'arrivée des multiplexes, ceux-ci

1. OEA, 2002.
2. Bilan CNC, 2001.

ne provoquant pas de bouleversements majeurs : en 1967, les 5 093 écrans correspondaient à autant d'établissements distincts ; en 1994, plus de la moitié ont disparu (2 100 établissements) mais il en reste 2 182 en 2001. C'est essentiellement en termes de concentration économique que les multiplexes ont apporté les plus profonds changements.

Les multiplexes en France représentent en 2001 près de 40 % des entrées nationales alors qu'ils ne constituent que 22 % du parc de salles. Les investissements nécessaires sont très lourds : 24 millions d'euros en 1988 pour le Kinépolis de Bruxelles, 40 millions pour l'UGC Ciné-Cité de Bercy. On peut estimer[1] que le seuil de rentabilité se situe autour de 65 000 entrées annuelles par million d'euros investi ; cela correspond pour les grands multiplexes (20 à 30 millions d'euros) à une durée d'amortissement de dix à quatorze ans. La plupart des multiplexes en France, contrairement à ce qui s'est passé dans la plupart des autres pays européens, ont été ouverts par les groupes nationaux ; Europalaces est l'opérateur le plus important en ce qui concerne le nombre d'implantations de multiplexes (458 écrans dans les multiplexes, soit 70 % des 647 écrans détenus en propre par le groupe). Des groupes régionaux qui n'ont pas l'ancrage historique des circuits ont eux aussi su développer des politiques d'implantation originales leur conférant un poids prépondérant dans l'exploitation française. De plus, les exploitants indépendants ont pris, ces dernières années, une part active dans le développement des multiplexes. Après une période d'euphorie et d'investissements sauvages, beaucoup ont fermé ; aux États-Unis, plusieurs circuits d'exploitants comme Loews ou

1. Voir Forest, 2001.

Regal ont fait faillite depuis 1999 ; en Allemagne, en Espagne, plusieurs multiplexes ont eux aussi fermé leurs portes. Dans les pays pionniers comme la Grande-Bretagne ou les États-Unis, le marché semble à saturation – le nombre d'écrans a augmenté de 58 % en une décennie[1] aux États-Unis – et l'effet multiplexe ne joue plus sur la fréquentation. Depuis la fin des années 1980, l'exploitation américaine a été le cadre d'une compétition acharnée entre opérateurs privés qui a conduit à une vague d'investissements massifs entre 1990 et 2000. Les déboires de l'exploitation américaine dus à une trop grande compétition entre exploitants (proximité géographique et programmations similaires font que le secteur est victime de suréquipement) incitent les Européens à la prudence.

II. – Les programmes, enjeu stratégique des groupes de communication

L'importance des programmes émerge avec le développement des chaînes de télévision et s'accentue à l'heure où se multiplient de nombreux marchés secondaires (télévisions thématiques, vidéo, Internet...) qui déconnectent l'économie du film de son exploitation en salle. D'ores et déjà, les producteurs tirent l'essentiel de leurs revenus hors de la salle ; le numérique apporte aux producteurs, distributeurs, éditeurs vidéo et ayants droit de nouveaux marchés susceptibles de valoriser des contenus qui deviennent mondiaux et multi-réseaux. Les exploitants, au contraire, largement ancrés sur des territoires, tentent de développer des utilités nouvelles pour fidéliser une clien-

1. En 1990, les États-Unis comptaient 23 689 écrans. Fin 2000, il y en avait 37 396.

tèle locale et de multiplier leurs sources de recettes. L'exploitation correspond désormais à deux activités distinctes : la programmation de films et la concession (essentiellement la confiserie). Les recettes sur le marché des concessions, contrairement aux recettes guichet, n'ont pas à être partagées avec les autres agents de la filière. Aux États-Unis, les concessions représenteraient 25 % du chiffre d'affaires des salles mais 50 % de leurs profits. En France, on estime à 20 % la part du chiffre d'affaires de l'exploitation représentée par les recettes annexes[1]. Ces pourcentages sont évidemment très différents selon la nature des salles, les multiplexes générant la plus forte part de recettes issues des concessions. Alors que les recettes annexes ne profitent nullement aux producteurs ou aux distributeurs, à l'opposé, la projection numérique est perçue par les exploitants comme un moyen accru de centralisation dans la commercialisation du film associée à une perte de pouvoir de marché local en raison des coûts d'installation[2]. Les nouvelles formes de diffusion numérique obligent donc les acteurs de la filière à se repositionner économiquement, remettant ainsi en cause le modèle de « solidarité » entre les agents (producteurs-distributeurs-exploitants) qui avait caractérisé pendant plusieurs décennies l'industrie cinématographique et l'opération de remontée de la recette.

La réalisation de produits dérivés dont Walt Disney s'est fait le champion ou la vente de pop-corns dans les salles de cinéma ont permis de multiplier les revenus annexes au métier d'origine. Plus encore, l'ouverture à Nantes, initialement prévue en 2003,

1. Voir Screen Digest, juillet 2002.
2. Voir Bomsel, Leblanc, 2002.

d'un multiplexe par une enseigne de la grande distribution (les centres commerciaux Leclerc) a suscité une
grande inquiétude quant à la possibilité que le film
soit utilisé comme simple produit d'appel pour vendre
toutes sortes de marchandises (on pourrait imaginer à
terme que des places de cinéma soient distribuées gratuitement en échange de l'achat d'un lave-vaisselle).
Internet amplifie ce phénomène en proposant aux
clients un ensemble de services et de contenus à des ta-
rifs très compétitifs, voire gratuits, complétés par une
publicité ciblée pour la vente de services ou de biens
associés. Une des conséquences de ce modèle est de
considérer à terme les contenus comme de simples
centres de coûts ayant pour réel objectif la conquête
de clients à des fins variées. Paradoxalement, c'est au
moment même où l'amont de la filière, le contenu, devient un actif stratégique – en mettant directement en
relations producteurs et consommateurs, Internet la-
mine le pouvoir de distribution des majors, les obligeant à contrôler plus qu'auparavant l'approvisionnement en amont – que sa capacité d'attraction
culturelle diminue. Le contenu n'est plus destiné à un
spectateur, auditeur ou lecteur mais sert d'appât pour
vendre divers services payants, faire souscrire par
exemple un abonnement au câble, au satellite ou au
téléphone. L'importance économique des contenus
donne lieu à deux types de stratégies industrielles : de
nouvelles formes d'intégration verticale entre contenu
et contenant, d'une part ; des rachats de catalogues de
films, d'autre part.

1. **Contenu-contenant : les atouts de l'intégration
verticale.** – L'intégration verticale est une stratégie
que les firmes utilisent depuis fort longtemps au sein
de la filière cinématographique afin de sécuriser en

amont ou en aval l'approvisionnement ou la distribution ; le poids des majors en Europe repose largement, on l'a vu, sur l'intégration entre production, distribution et exploitation. Avec l'insertion du cinéma dans des groupes de communication aux activités variées, l'intégration verticale prend une dimension nouvelle. L'analyse de l'économiste O. Williamson a fait évoluer l'explication théorique de l'intégration verticale en mettant l'accent non plus sur des économies de coûts de production réalisées par les entreprises intégrées, mais sur des économies de coûts de transaction, en particulier lorsque la transaction entre un client et son fournisseur porte sur des actifs spécifiques, c'est-à-dire difficilement substituables. L'intégration verticale permet notamment de protéger une entreprise de comportements opportunistes de la part de ses partenaires. Dans cette perspective, la firme fabriquant le matériel a donc intérêt à se prémunir contre l'augmentation de coûts de transaction qui résulterait de comportements opportunistes de firmes en situation oligopolistique produisant des programmes. L'évolution de la technologie ou la croissance de la demande peuvent en effet rendre les titulaires de programmes spécifiques plus indispensables. Pour les fabricants de matériel, celui-ci ne peut être utilisé qu'en adéquation avec des programmes adaptés à chaque cas (avoir un lecteur de DVD n'a aucun sens pour le consommateur si les majors hollywoodiennes ne distribuent pas leurs catalogues sous un format compatible).

Dans l'optique des modèles de compétition technologique, l'intégration verticale entre les entreprises de programmes, de *soft* (supports de lecture et programmes pré-enregistrés), et les entreprises de matériel, de *hard* (matériels de lecture lancés par les groupes de l'électronique ou de l'informatique), permet, non seulement à l'offreur de *hardware* de s'approvisionner en *software,* mais sert de barrière à l'entrée aux autres entreprises du *hardware,* ce qui conduit la firme à imposer son standard. L'exemple si souvent cité dans les modèles de compétition de rivalité entre les magnétoscopes VHS et Betamax illustre une bataille entre deux technologies défendues respectivement par Matshushita (créateur) - JVC (producteur), d'une part, et Sony, d'autre part. C'est en préférant maintenir son standard fermé pour maximiser ses bénéfices à court terme que Sony a perdu au début des années 1980 la bataille des magnétoscopes contre JVC qui avait choisi au contraire d'ouvrir son système et d'autoriser les firmes à produire des biens compatibles de manière à déclencher des mécanismes d'autorenforcement. Le standard VHS a pu s'imposer grâce à un avantage de coût qui a permis de déclencher une guerre des prix et grâce à la masse de titres mis rapidement sur le marché. Ce standard présentait cependant des performances techniques plus faibles.

Les fusions récentes entre firmes de la nouvelle économie et industries de programmes (comme AOL-Time Warner ou Vivendi-Universal) ont été interprétées comme la volonté de rapprochement entre contenu et contenant. En amont, la distribution élargie d'œuvres numérisées sur divers canaux (câble, satellite, téléphone mobile, Internet) permet de rentabiliser des investissements élevés grâce au contrôle d'importants catalogues de droits d'exploitation des œuvres. En aval, les consommateurs de biens culturels s'abonnent à divers services (télévision à péage, téléphonie mobile, sites internet) facturés à la consommation. Ces stratégies diverses d'intégration verticale n'ont pas toujours eu la réussite escomptée ; Sony a connu une longue période d'échecs au *box office* hollywoodien tandis que Matshushita revendait MCA et Universal au distilleur canadien Seagram en 1995. De plus, l'importance des programmes pour les firmes du *hard* ne doit pas faire oublier que, compte tenu des enjeux financiers, ces formes d'intégration ont rarement vocation à être stables. Philips, avant de revendre Polygram, s'était intéressé aux programmes essentiellement pour gagner la bataille des matériels. La production cinématographique ou l'édition musicale restent des activités très risquées dont beaucoup de groupes du *hard* ont dû se désengager après des tentatives infructueuses. La convergence entre les terminaux annoncée plus récemment ne semble plus à l'ordre du jour et pour beaucoup la synergie entre contenu et contenant à l'heure d'Internet n'a jamais réellement montré sa pertinence. Les PDG médiatisés de Bertelsmann, AOL ou Vivendi-Universal, symboles du mariage tant attendu entre nouvelle et ancienne économie, ont dû, au cours de l'année 2002, quitter leurs fonctions en raison de mauvais résultats financiers. Que la course au gigantisme trouve ses propres limites dans ces cas précis, que Vivendi-Universal soit démantelé ne nous semble pourtant remettre en cause ni la tendance lourde à la concentration dans le monde de la communication, ni l'interdépendance fondamentale, mais complexe et instable entre le *hard* et le *soft*. Peu stable, l'intégration verticale n'est pas toujours nécessaire comme en témoignent les multiples alliances ou accords commerciaux ponctuels entre les différents acteurs. Au lieu d'intégrer l'activité de production des œuvres, les groupes de communication se contentent souvent d'en maîtriser les droits d'exploitation.

2. **La bataille des droits.** – Si la rentabilité des produits culturels se fait à court terme, des possibilités de réexploitation de titres ou de catalogues existent aussi sur le long terme. Les firmes qui ont conservé pendant une longue durée les droits – ou racheté ces droits – pourront les valoriser sur des marchés secondaires ou les rééditer au fil des retours de mode. Lew Wasserman, ancien patron de MCA Universal, est l'un des premiers à avoir saisi l'importance des catalogues en rachetant dès 1958 tous les films Paramount produits avant 1948 pour 10 millions de dollars ; quelques semaines plus tard, Wasserman empochait 30 millions en vendant les droits de diffusion de ces films à plusieurs chaînes de télévision. La stratégie de rachat de catalogues se généralise en Europe à l'occasion de l'évolution du paysage audiovisuel. La conservation et le négoce de films anciens, jadis affaire de collectionneurs, devient une affaire très lucrative. L'économie du cinéma s'oriente vers une économie de portefeuille, valorisable à long terme sur de nouveaux supports. Dans les années 1990, c'est le développement de produits numériques comme les CD-Rom, les DVD et l'Internet qui relance à son tour la demande d'utilisation du patrimoine cinématographique. À la demande accrue de programmes sur le plan quantitatif (possibilité pour les détenteurs de droits de valoriser leurs catalogues sur un grand nombre de supports et dans un grand nombre de pays) s'ajoute une demande nouvelle sur le plan qualitatif. L'usage d'Internet ou des DVD permet par exemple d'avoir accès à des filmographies des bandes-annonces ou des critiques qui modifient le produit initial. La spéculation des années 1980-1990 a conduit de nombreux producteurs – qui auparavant géraient directement les droits des films que leur société avait produits – cessionnaires

des droits d'auteur et titulaires de droits voisins à revendre fort cher leurs droits d'exploitation à des sociétés de portefeuille. La complexité croissante du métier de vendeur a amené ces producteurs, en dehors de quelques exceptions, à se désengager de cette activité. La stratégie de rachats en cascade de catalogues s'épuise aujourd'hui à mesure que les cibles se raréfient.

Au terme de divers mouvements de rachats, ce sont quelques groupes de communication qui détiennent désormais une grande partie des droits sur les images, les sons et les écrits. Parmi les plus gros détenteurs de catalogues dans le monde, on trouve le défunt groupe allemand Kirch (précurseur de la vente de droits de diffusion par paquets aux chaînes, le groupe avait notamment accumulé en quarante ans 50 000 heures de télévision et plus de 15 000 titres de films)[1] et les grands studios américains, notamment la MGM et Warner Bross (plus de 5 000 longs métrages chacun). Avec plus de 10 000 films, Vivendi-Universal représente de loin le plus grand catalogue de l'Hexagone qui comprend des Hitchcock, Spielberg et autres films de Belmondo sans cesse diffusés dans le monde entier ; le studio Canal à lui seul détient un catalogue de 5 000 films. Le rapport Rogemont évalue à 60 % la part des droits des œuvres disponibles en France qui seraient détenus et gérés par le groupe Canal +. Loin derrière le catalogue de VU, viennent ceux de TF1, Gaumont (600 films chacun)[2] puis Pathé, Roissy

1. Ce catalogue de droits, qui fit la force du groupe de Léo Kirch rattrapé par son surendettement, est l'objet de fortes spéculations.
2. Le catalogue Gaumont est particulièrement prisé par les chaînes hertziennes car il contient un grand nombre de films français susceptibles de satisfaire les quotas.

Films et MK2 (300 films). La concentration des droits renforce la concentration traditionnelle du secteur.

III. – Concentration économique, diversité culturelle : quelles relations ?

Le lien entre la concentration économique et l'uniformisation des contenus mérite d'être éclairci. Il serait trop simpliste d'opposer frontalement producteurs indépendants, seuls garants de la pluralité de l'offre culturelle, aux géants de la communication.

1. Diversité des acteurs, diversité des contenus. – Lorsque, dans un souci d'amélioration de l'image du groupe, J.-M. Messier, ex-PDG médiatique de Vivendi-Universal, rédige un article dans *Le Monde* (avril 2001) en faveur de la diversité culturelle – avant d'annoncer quelques mois plus tard la mort de l'exception culturelle –, il défend une conception de la diversité comme stratégie multi-produits d'un groupe, afin de satisfaire des clientèles hétérogènes. Les groupes importants ne sont pas des blocs monolithiques, plutôt des organisations complexes composées d'individus aux envies variées, voire contradictoires. L'hétérogénéité des goûts des consommateurs rend nécessaire d'entretenir une certaine variété. De grands groupes peuvent ainsi, à l'instar de la stratégie tentée il y a quelques années par Polygram dans la musique puis dans le cinéma, développer des labels très différents au sein d'une même entité. La stratégie multi-produits proposée par les groupes ne répond pourtant qu'imparfaitement à l'attente de diversité culturelle. Les taux de rentabilité exigés conduisent les groupes à abandonner les créneaux les plus risqués aux indépendants et à promouvoir massivement quelques – rares – titres phares. Dans l'ensemble des opérations de fusions-acquisitions, les calculs d'ordre financier l'emportent souvent sur l'affichage de stratégies destinées à créer des synergies entre activités. De plus, dès lors qu'une partie des capitaux provient des marchés financiers, de nouveaux critères de gestion sont pris en compte, imposant à l'entreprise de servir régulièrement des bénéfices à ses actionnaires. L'objectif de rentabilité n'a bien sûr, jamais été totalement absent au sein des petites structures mais les taux exigés étaient plus modestes. Lorsque les dirigeants s'éloignent du contenu et concentrent leur attention sur la politique générale et ses implications financières, aucun salarié n'a, plus intérêt à prendre trop de risques. Quelques portes claquent et ceux qui restent intériorisent peu à peu les comportements permettant d'atteindre les objectifs de rentabilité exigés. De plus, le nombre de titres produits peut augmenter avec la concentration tandis que le nombre de ceux qui contribuent à alimenter la demande ou le chiffre d'affaires diminue. La segmentation de la demande autour de *best sellers* a toujours existé mais se renforce avec le poids des groupes imposant des obligations de marketing qui font grimper les seuils de rentabilité. Par rapport aux indépendants, les grosses sociétés luttent à armes très inégales en matière de promotion, l'intégration verticale rendant plus floues les frontières entre l'aspect rédactionnel et l'aspect publicitaire des activités. Disposer d'un réseau important de presse écrite, de radios, de télévisions ou de sites internet constitue un puissant atout concurrentiel pour soutenir un produit maison au détriment d'autres productions.

La recherche d'avantages concurrentiels paraît dominée, dans les industries culturelles, par le conflit entre stratégie de différenciation et stratégie de mimétisme. Le mimétisme, l'exploitation d'un filon (la série des *Don Camillo,* des *Gendarmes,* des *Taxi,* des *Rocky* ou *Terminator*) est *a priori* contradictoire avec la logique même d'originalité de la production culturelle mais permet de limiter l'incertitude du marché. Dans les industries culturelles, la différenciation des produits est, *a priori,* une donnée de base d'un marché de prototype. Contrairement aux autres secteurs, cette différenciation n'implique pas nécessairement un attachement des consommateurs à des marques ou à la réputation d'une entreprise. En règle générale, le consommateur n'achète ni un disque BMG, ni un livre Vivendi-Universal, ou un film Gaumont[1]. Ces phénomènes de réputation jouent cependant pleinement lorsqu'il s'agit des artistes, non des entreprises. Sur les marchés oligopolistiques, la présence de firmes de dimension réduite s'explique par la satisfaction de demandes spécifiques qui favorisent la création de niches. Une petite entreprise trouve ainsi, par la différenciation, des avantages concurrentiels qu'elle ne trouverait pas dans le cadre d'une logique de domination par les coûts. Le processus de décision souple, faisant intervenir peu d'acteurs, permet au producteur de suivre ses intuitions, d'être plus proche du public, plus réceptif à l'air du temps et au fait des nouveaux courants, ou des nouveaux talents. La stratégie n'est pas nouvelle ; J. Augros[2] rapporte comment, à partir de 1911, certains indépendants ont entrepris de diffé-

1. L'association du label de la firme cinématographique Walt Disney à des produits repérés comme tels par le consommateur est une des notables exceptions qui confirment cette règle générale.
2. 1996.

rencier leurs produits de ceux du trust Edison qui regroupait depuis 1908 les principaux producteurs et distributeurs. Alors que le *trust,* fidèle à sa doctrine de standardisation des produits, ne donnait pas le nom des acteurs, les indépendants, plus proches du public, après avoir remarqué la préférence des spectateurs pour tel ou tel acteur, se lancèrent avec succès dans le *star system.* Une étude menée par le journal *Variety*[1] montrait que, parmi les 85 metteurs en scène d'Hollywood les plus connus, aucun des 77 Américains de l'échantillon n'avait fait son premier film directement pour un studio. Dans les années 1990, les indépendants sont devenus aux États-Unis des producteurs à succès, essentiels à l'activité des majors ; la nécessité pour les majors de faire tourner leur réseau de distribution les incite en effet à s'adresser à des producteurs extérieurs, plus flexibles et plus sensibles à la recherche de nouveaux talents, tout en conservant l'essentiel, le contrôle de la distribution.

2. **Derrière la guerre contre la piraterie, les conséquences de la concentration des droits.** – Derrière les batailles de copyright, c'est justement la remise en cause de leur pouvoir de distribution que les grands groupes tentent d'éviter. Si les menaces pesant sur la mise en œuvre du droit d'auteur existent depuis longtemps dans l'univers analogique, elles s'accentuent considérablement avec le développement des technologies numériques. La « génération Napster » a pris l'habitude de recevoir gratuitement de nombreuses informations. Face à la multiplication des possibilités de contournement de la propriété intellectuelle et compte tenu des enjeux économiques associés, les majors ont

1. 5 novembre 1990, cité par Augros, 1996.

entamé des croisades sans fin contre les pirates de tous bords à travers des moyens juridiques classiques et la promotion de systèmes sophistiqués de protection technologique.

Comme les réseaux *peer to peer* aujourd'hui, l'invention de la cassette audio puis vidéo a, elle aussi, été très mal accueillie respectivement par l'industrie du disque et du cinéma. En dépit d'une opposition initiale farouche, les majors hollywoodiennes tirent aujourd'hui l'essentiel de leur chiffre d'affaires de la vente de vidéos. Diverses propositions marchandes voient le jour dans le domaine du cinéma en ligne. Les sites qui se sont lancés dans l'exploitation de longs métrages sur Internet ont beaucoup accusé la complexité de la recherche des ayants droit en France d'être à l'origine de l'échec de leurs entreprises et de contribuer en cela à accentuer la diffusion de films américains sur Internet et à en exclure le cinéma français. À défaut de proposer une programmation attractive pour le public, Libera Films ou Prime Films ont dû mettre leurs activités en sommeil. Cinq majors (MGM, Paramount, Sony, Universal et Warner) ont par ailleurs annoncé la création d'un site commun baptisé MovieLink afin de distribuer à la carte une partie de leurs catalogues (450 films fin 2003) aux foyers américains connectés à l'Internet à haut débit. Même si les expériences similaires des majors du disque visant à faire payer au consommateur des contenus mis jusque-là gratuitement à sa disposition se sont révélées des échecs notoires et incitent à la prudence, des offres légales payantes peuvent se développer sous réserve de se différencier. Le véritable problème n'est pas tant celui de la création d'un marché (les sommes dépensées par les internautes pour télécharger soi-disant « gratuitement » des contenus à travers les abonnements internet, les achats d'équipement... sont déjà importantes) que celui du transfert au sein de la chaîne de valeur entre des industries qui financent les contenus et des firmes qui les utilisent pour vendre du matériel informatique, des appareils de lecture ou des abonnements haut débit.

Derrière les batailles du copyright, s'agite donc le spectre d'un changement radical des mécanismes de compétition et la remise en cause de rentes de situation. La concentration des droits pose en effet à la fois des problèmes de respect des règles concurrentielles et de restriction du domaine public. L'extension perpétuelle de la durée des droits empêche certaines œuvres de tomber dans le domaine public. En 1998, le Congrès américain a voté le Sonny Bono Copyright Term Extension Act qui, sous l'action de lobbying du groupe Disney inquiet de voir Mickey tomber dans le domaine public, a prolongé la durée du copyright jusqu'à quatre-vingt-quinze ans. Des pans entiers de ce qui aurait pu tomber dans le domaine public sont ainsi privés d'une diffusion large au profit des intérêts de grandes compagnies. En France, aucun film français n'est encore tombé dans le domaine public. Cette durée de la protection n'a plus rien à voir avec la philosophie originelle de la propriété intellectuelle, incitation à la création et à la production. Elle ne favorise pas la création mais incite au contraire les titulaires de catalogues à vivre sur leurs stocks d'œuvres reconnues plutôt que de rechercher de nouveaux talents. De plus, la valorisation du patrimoine par des entreprises privées qui souhaitent maximiser la valeur d'un portefeuille de droits se heurte parfois à la volonté de la collectivité de mettre la production cinématographique d'hier à la disposition de tous. Selon le rapport Ory-

Lavollée[1], aux Archives françaises du film du CNC 30 à 40 % des films sont orphelins, leur société productrice a disparu et l'on ne sait pas qui en a récupéré les droits. Une procédure judiciaire qui peut durer jusqu'à deux ans est nécessaire pour que le CNC soit désigné comme mandataire de leur exploitation. Les pouvoirs publics n'étant pas propriétaires d'une grande partie des contenus qu'ils ont numérisés – parfois à grand frais, le coût étant de l'ordre de 45 000 à 60 000 € par film – ne peuvent par exemple les mettre en ligne qu'à condition de procéder à l'acquisition de droits correspondants, ce qui se révèle toujours coûteux, parfois impossible. Les conflits avec les cinémathèques sont de même nature et peuvent notamment apparaître lors des opérations de restauration, entre ces organismes, simples dépositaires des bobines, et leurs propriétaires (particuliers ou majors). Cette situation, qui ne posait guère de problème lorsque les copies de films n'intéressaient personne, devient très délicate lorsqu'un ayant droit, persuadé de détenir la poule aux œufs d'or, décide de bloquer une restauration ou, une fois la restauration terminée, de réclamer – comme il peut légalement le faire à tout moment – l'internégatif à des fins commerciales. Enfin, la mise en place de mesures techniques de protection s'accompagne d'un mouvement juridique international visant à protéger ces dispositifs. La légitimité des barrières techniques par rapport au domaine public ou à l'exercice d'une quelconque exception au droit d'auteur est une question juridique particulièrement épineuse. Entre les exceptions ou limitations à la propriété intellectuelle et le respect des protections technologiques, des

1. 2001.

risques d'incompatibilité pourraient apparaître. Le droit d'auteur autorise en effet des exceptions comme la copie privée ou la parodie que les technologies éliminent. La surprotection technologique aboutirait par exemple à verrouiller des œuvres tombées dans le domaine public au mépris des intérêts des utilisateurs.

Le respect du jeu concurrentiel se trouve lui aussi remis en cause par l'utilisation que les majors font de la propriété intellectuelle. Les autorités chargées du respect de la concurrence ont, à maintes reprises, eu à gérer ce type de conflit entre abus de position dominante et respect des règles du copyright. Les majors tendent à utiliser la propriété intellectuelle comme une barrière à l'entrée, notamment sur les marchés émergents des contenus en ligne afin de conserver des positions acquises précédemment. En refusant d'accorder les licences de leurs catalogues à des distributeurs en ligne, elles maintiennent leurs concurrents à l'écart. De plus, la mise en œuvre de technologies de protection requiert des investissements très élevés qui constituent une barrière à l'entrée et représentent un risque d'exclusion des producteurs de moindre importance. Les technologies deviennent donc des armes concurrentielles auxquelles tous les fournisseurs de contenu n'ont pas accès. Dans l'industrie du cinéma, la protection semble ainsi s'orienter vers un fonctionnement à double vitesse : alors que les *blockbusters* hollywoodiens pourront être protégés par des technologies coûteuses se justifiant par les revenus potentiels attendus, les autres films ne pouvant s'offrir de tels mécanismes de cryptage devront capituler devant le piratage.

Chapitre IV

LE MODÈLE FRANÇAIS
DE SOUTIEN PUBLIC :
UN SYSTÈME EXEMPLAIRE
À BOUT DE SOUFFLE

Dans le secteur cinématographique, la fiscalité, la concurrence, les échanges internationaux, les relations avec la télévision ou encore les droits d'auteur sont autant de formes de réglementation qui complètent au niveau national et européen le dispositif direct de soutien financier.

I. – Des contributions budgétaires modestes
mais un système original
de redistribution de ressources
prélevées sur le marché

En 2001, 1 milliard d'euros a été distribué par les fonds d'aide nationaux et régionaux des pays de l'Union européenne[1] dont 450 en France et 178 en Allemagne, le solde se répartissant entre les 13 autres pays. Les aides sont majoritairement financées par dotations publiques. En Italie et en Espagne, le financement est assuré par le budget de l'État. En

1. OEA, 2002 ; auxquels s'ajoutent les fonds distribués par les mécanismes de soutien européens, 400 millions au total pour la période 2001-2005 pour Media Plus, 19 millions sur l'année 2001 pour Eurimages.

Grande-Bretagne, les aides au cinéma sont gérées par le Film Council, créé en 2000, qui redistribue le soutien du ministère de la Culture et dispose de ressources provenant pour moitié de la loterie nationale et pour moitié du budget de l'État. La taxe sur les entrées, qui finançait essentiellement une politique d'aide sélective à la production, a été supprimée, tandis que, depuis 1993, la loterie nationale dégage des sommes sans commune mesure avec la faiblesse des subventions versées auparavant. Malgré l'afflux de liquidités, les aides ont surtout profité à la coopération avec les firmes américaines et la part de marché des films britanniques reste faible. En dehors de la Grande-Bretagne, six autres pays européens (Danemark, Finlande, Grèce, Irlande, Italie, Pays-Bas) ont décidé à une époque plus ou moins récente de consacrer une part des recettes de leur loterie nationale à un financement complémentaire de la culture. En Allemagne, le système est comparable à celui de la France dans la mesure où les aides sont en partie financées par l'industrie elle-même mais le soutien fédéral est nettement moins important que celui accordé par les *Länders*. En France, les collectivités territoriales sont de plus en plus nombreuses à s'impliquer dans le cinéma sous diverses formes (accueil de tournages, subventions aux producteurs, avances remboursables...). En 2000, leur apport à la production s'est élevé à 10,6 millions d'euros[1] essentiellement dans des courts métrages. Les financements locaux, majoritairement assurés par les régions, bien qu'en plein essor depuis quelques années, restent cependant encore marginaux au regard du soutien national, beaucoup plus ancien.

1. Rapport Rogemont.

L'originalité du soutien français tient en effet à la création en 1946 d'un établissement public, le Centre national de la cinématographie (CNC), et au mode de financement particulier des interventions qu'il effectue. La première loi d'aide au cinéma de 1948 pose les fondements du nouveau système en créant un Fonds de soutien à l'industrie cinématographique. D'origine temporaire, ce système s'est non seulement pérennisé et développé mais aussi exporté à l'ensemble de la création audiovisuelle. Depuis 1986, le « Compte de soutien financier de l'industrie cinématographique et de l'industrie des programmes audiovisuels » comporte deux sections : la première concerne le cinéma ; la seconde, l'industrie des programmes (le COSIP). Les sommes du Compte sont affectées pour près de la moitié (48 % en 2002, 39 % en 1989) à la section audiovisuelle. De plus, contrairement à de nombreux pays, il existe une distinction très précise entre les deux types d'œuvres donnant accès soit à l'une, soit à l'autre des sections du compte.

1. **Les sources d'alimentation du soutien.** – Né de la fusion entre deux organismes, l'un professionnel, l'autre administratif, le CNC assure un certain nombre de fonctions relevant tantôt de la puissance publique, tantôt d'une organisation professionnelle. Son budget de fonctionnement est assuré, en partie par des cotisations professionnelles recouvrées par les organisations syndicales, en majorité par prélèvement sur le Compte de soutien. Cet organisme assure depuis toujours le contrôle de la répartition des recettes cinématographiques. Surtout, le CNC est chargé des aides financières à travers la gestion du Compte de soutien (448 millions d'euros pour 2002) et des crédits d'intervention du ministère de la Culture (consacrés aux actions

patrimoniales, aux aides européennes et internationales, aux soutien au nouvelles technologies...). En dehors de la gestion des aides directes, le CNC participe au financement de divers organismes dont l'existence contribue à créer un environnement favorable au cinéma : formation aux métiers du cinéma (Fémis), Unifrance (chargé de la promotion du film français à l'étranger), Festival de Cannes... Les principales mesures d'intervention s'apparentent à des subventions dans leurs modalités d'attribution mais elles relèvent d'un financement qui n'est pas celui du budget de l'État. Les crédits inscrits au budget du ministère de la Culture en faveur du cinéma et de l'audiovisuel[1] ont été marqués par une certaine indigence (1 % du budget du ministère en 1977 comme au début des années 1960 et 0,5 % au début des années 1970 ; entre 3 et 4 % depuis une dizaine d'années). Le cinéma – bien qu'il reçoive une part infime du budget affecté à la culture – demeure une activité dans laquelle l'État imprime les grands équilibres par sa politique d'affectation des ressources. Le mode de financement lié aux performances du marché explique que la France dispose des moyens financiers les plus importants d'Europe et sans commune mesure avec ceux accordés dans ce pays aux autres industries culturelles comme le livre ou le disque.

Les principes généraux du système d'aide sont restés constants au cours du temps : constitution d'une épargne forcée alimentée par le prélèvement d'une taxe sur le prix des places, redistribution de la totalité des fonds ainsi perçus au seul profit des entreprises

1. Notons que les contributions du ministère de la Culture alimentent à la fois – pour une part infime – le Compte de soutien et pour partie des mesures qui ne transitent pas par le Compte, ce qui rend parfois la lecture du système un peu complexe pour le non-initié...

françaises et, enfin, obligation de réinvestir ce supplément de recettes ; pour le producteur, c'est l'obligation de réinvestir dans la production d'un nouveau film ou d'éteindre les dettes d'un film précédent ; pour l'exploitant, c'est la nécessité d'investir dans la salle afin de la moderniser. Historiquement, la naissance du Compte de soutien ne peut être déconnectée de ce qui a longtemps constitué sa recette principale : la taxe spéciale additionnelle (TSA). Cette taxe prélevée sur le prix du billet payé par chaque spectateur, qui équivaut en moyenne à 11 % du prix des places, représentait 90 % des recettes du compte en 1982 et seulement 44 % de la section cinéma pour le budget 2002 (23 % du total des deux sections). Les ressources du compte sont désormais constituées pour l'essentiel par les contributions des chaînes de télévision (5,5 % de leur CA) et, depuis 1993, par une taxe (2 %) calculée depuis 2003 sur le prix public des vidéogrammes[1]. Le cinéma a, de plus, profité de la deuxième révolution audiovisuelle, puisque, depuis le 1er janvier 1998, une nouvelle taxe a été instituée sur les chaînes thématiques diffusant des œuvres de création en français. Les subventions attribuées au cinéma ne provenant plus de la seule industrie cinématographique, le Compte de soutien relève bien d'une politique d'aide. Ainsi, paradoxalement, le soutien au cinéma français est aujourd'hui financé par ses deux principaux concurrents, la télévision depuis le milieu des années 1980 et le cinéma américain depuis les origines du système.

2. **L'utilisation des fonds.** – Outre le niveau élevé des interventions, la spécificité française est aussi

---

1. En contrepartie, le système ouvre des droits à soutien aux éditeurs vidéo.

d'intervenir sur l'ensemble de la filière (une trentaine d'aides au total dirigées vers la production, la distribution, l'exploitation, les industries techniques et la vidéo). Grâce au Compte de soutien, des aides sont accordées sous forme automatique (en fonction des recettes antérieurement réalisées) ou sélective (accordées par des commissions spécialisées). Le cœur du système mis progressivement en place est l'articulation entre politiques industrielle et culturelle et leurs corollaires, automaticité et sélectivité, l'une venant limiter les abus de la première. Jusqu'aux années 1950, l'État, dans le contexte général de la Reconstruction, privilégie la mise en œuvre d'une politique industrielle. Le soutien à la production constitue le fondement même de la création du fonds de soutien. Destiné à la réalisation de nouveaux films, le soutien est calculé en fonction des recettes des films précédents, indépendamment de toute valeur artistique. La politique industrielle traduit la volonté des pouvoirs publics de favoriser la constitution de groupes susceptibles de faire face à la concurrence et à l'internationalisation. L'automaticité est son fondement et favorise les acteurs du secteur qui ont déjà rencontré un succès commercial.

La sélectivité, au contraire, constitue le fondement de la politique culturelle ; son principal souci n'est pas la rentabilité économique mais le maintien d'une partie de l'offre que la seule demande du marché ne suffirait à faire exister. C'est en 1959 avec le rattachement du CNC – auparavant sous l'autorité du ministère de l'Information, de la Jeunesse, des Arts et Lettres puis de l'Industrie – au ministère des Affaires culturelles, nouvellement créé, que s'affirme véritablement le soutien à la qualité quand les pouvoirs publics décident d'instaurer une politique d'aide à la production sélective. La Commission d'avances sur recettes – que l'on retrouve désormais dans la plupart des pays de l'Union – est l'incarnation institutionnelle des nouvelles ambitions que l'État nourrit alors pour le cinéma.

Dans l'articulation entre aides automatiques et sélectives, les pouvoirs publics doivent faire face à deux dangers opposés : le développement de productions bénéficiant de soutiens sélectifs déconnectés des réactions du marché, d'un côté ; l'augmentation de la concentration engendrée par un système automatique tenant uniquement compte de la compétitivité et de l'internationalisation des marchés, d'un autre côté[1]. Sur le budget 2002, le soutien automatique représente 68 % du total des deux sections hors frais de gestion et le sélectif 32 %. Chaque année, pour la plupart des aides, le soutien apparaît très concentré sur quelques entreprises. En 1998, pour la moitié des aides totales distribuées par le CNC (13 sur 27), dix entreprises ont bénéficié de plus de 50 % des sommes totales engagées. Pour huit aides, ce sont les cinq premières entreprises qui ont mobilisé plus de 50 % du total engagé.

Les aides automatiques sont une des grandes caractéristiques françaises. Bien qu'elles existent dans onzes des pays de l'Union, elles portent sur des montants infiniment moins importants. De plus, le soutien automatique représente les deux tiers de l'enveloppe globale française alors que dans les autres pays la quasi-totalité des aides est accordée sous forme sélective. Enfin, dans la plupart des pays, l'automaticité ne concerne que la production cinématographique alors que la France accorde également des aides automatiques à la distribution, l'exploitation, l'édition vidéo et

---

1. C'est notamment la volonté d'ouverture de la production nationale aux investisseurs européens qui a justifié la réforme de l'agrément et du soutien automatique à la production en 1999.

la production d'œuvres audiovisuelles. Depuis la réforme de l'agrément en 1999, les œuvres éligibles au soutien à la production doivent être produites par au moins une entreprise agréée par le CNC, établie en France, qui ne doit pas être contrôlée par des capitaux extra-européens et dont le responsable doit être ressortissant d'un État membre de l'Union. De plus, l'accès au soutien est variable selon une grille de points pondérée par des coefficients afin d'évaluer la nationalité du film en fonction de ses composantes artistiques et techniques. Pour être éligible au soutien financier, un film doit s'intégrer dans une double contrainte : obtenir au moins 14 points sur 18 au barème des points européens, et au moins 25 sur 100 au barème du soutien financier. L'exploitation a obtenu, en 1967, de bénéficier elle aussi de l'aide automatique, afin de moderniser le parc de salles et de répondre ainsi aux attentes d'un public changeant. Ce soutien peut financer pratiquement tous les types de travaux d'équipement et de modernisation qu'un exploitant peut avoir à entreprendre (travaux d'amélioration, de sécurité, conditions de projection...) ainsi que la création de salles. Y échappent les travaux qui entrent dans le cadre de l'exploitation normale de la salle. Le montant des droits acquis est fonction du montant de la TSA versée par l'exploitant au fonds de soutien (l'année n et les années antérieures lorsqu'il n'a pas utilisé ces droits). Longtemps exclus de l'aide automatique, les distributeurs ont, quant à eux, obtenu en 1978 de bénéficier de droits au soutien analogues à ceux attribués aux producteurs. Enfin, plus récemment encore, les producteurs audiovisuels et les éditeurs vidéo bénéficient également du soutien automatique.

Le soutien sélectif a – comme le soutien automatique – d'abord été instauré pour encourager la production avec la mise en place de l'avance sur recettes. Le soutien sélectif à la distribution de films français ou étrangers, beaucoup plus récent, comporte plusieurs volets : l'aide aux films, l'aide aux entreprises et l'aide aux œuvres de pays dont la cinématographie est peu diffusée en France. Le soutien sélectif à l'exploitation répond, quant à lui, à un objectif d'aménagement du territoire (réseau de salles dense afin de maintenir la vie locale) et de diffusion culturelle (soutien aux salles qui prennent des risques dans leur programmation). Dans tous les pays européens, les municipalités et les autorités régionales ont été amenées à intervenir directement dans la gestion des salles pour éviter leur disparition, surtout en zone rurale. En France, les municipalités interviennent directement dans près de 1 000 salles, soit en détenant les murs, soit en les exploitant. À ces formes traditionnelles de soutien sélectif se sont ajoutées au cours des années des aides correspondant à l'extension des attributions du CNC : COSIP, industries techniques, édition vidéo et multimédia. Longtemps tenues à l'écart du soutien public, les industries techniques ont commencé à être aidées à la fin des années 1970 pour des sommes modestes. La vulnérabilité à la concurrence internationale est accentuée par la faible importance accordée au fait d'avoir ou non recours à des industries techniques nationales dans le barème français de l'agrément[1].

3. **Pour quels résultats ?** – Le développement du CNC depuis près de soixante ans est fait de questions récurrentes et d'adaptations aux changements de l'environnement (changements esthétiques, technologi-

1. Rapport Couveinhes, 2002.

ques, sociologiques, économiques...) ; ces changements témoignent de la plasticité du système mis en place. Les grands objectifs cependant sont restés les mêmes : maintenir le public des salles ; assurer la pluralité de la création cinématographique et audiovisuelle ; garantir l'identité culturelle de la France, notamment par rapport à la concurrence des œuvres américaines. La tradition interventionniste des pouvoirs publics a eu au moins deux conséquences majeures ; du côté de la demande, la part des produits nationaux s'est maintenue par rapport aux autres pays européens tandis que l'on constate du côté de l'offre une faible pénétration des firmes et des capitaux étrangers. Les comparaisons étrangères permettent de penser que le cinéma français aurait connu une évolution plus défavorable encore si l'État n'était pas intervenu, permettant un maintien de la production et de la fréquentation, atypique par rapport à l'ensemble des pays européens. Surtout, une proportion importante de la production cinématographique européenne est aujourd'hui cofinancée par les producteurs français.

A) *La fréquentation nationale : des résultats fragiles.* L'indice de fréquentation par tête est un des plus élevés d'Europe (3,1 en 2002, 2,5 en moyenne dans les autres pays de l'Union européenne). La part du film français reste plus élevée que la part du film national dans les autres pays. Cette part ayant cependant considérablement baissé au cours des dernières années (50 % en 1981, 35 % en 2002), on doit considérer les résultats en termes de fréquentation comme une victoire très fragile.

B) *Un niveau élevé de production.* – Les aides publiques à la production, importantes en valeur absolue, sont comparables à celles de l'Allemagne si on les rapproche du volume de production nationale : la France redistribue, en 1998, 1,5 million d'euros sous forme de soutien public par film produit, soit une somme identique à celle versée par l'Allemagne mais beaucoup plus importante que celle versée par l'Espagne (0,3 million par film) ou l'Italie (1,1 million)[1]. Les sommes réinvesties dans la production de longs métrages grâce au mécanisme de soutien automatique représentaient, dans les années 1960-1970, entre un cinquième et un quart des investissements français, 16 % en 1978, seulement 10 % en 1990 et 8 % en 2002 (55 millions d'euros pour 678 millions d'investissements). Les conditions d'utilisation du soutien ont beaucoup évolué ; outre son rôle traditionnel pour le règlement des créances prioritaires (droit d'opposition sur l'aide offerte aux créanciers privilégiés comme les salariés ou les industries techniques), l'aide sert également à garantir des sommes avancées par des fournisseurs ; ces pratiques de remboursement diminuent le pouvoir d'incitation à la production d'œuvres nouvelles. Bien que son rôle soit plus modeste aujourd'hui qu'autrefois, le soutien automatique à la production a contribué à maintenir à un niveau élevé les productions nationales, contrairement à ce qui s'est passé dans beaucoup d'autres pays européens. La production française est sensiblement la même en 1987 (133 films) et en 1957 (142 films) alors que durant cette période la fréquentation a été divisée par plus de trois ; 200 films ont été agréés en 2002. L'objectif de volume de production, priorité initiale de la mise en place du système, a donc bien été atteint.

1. Les mécanismes publics d'aide au cinéma et à l'audiovisuel en Europe, CNC-OEA, 1999.

C) *La France au cœur de la production européenne.*
La création du CNC a favorisé l'éclosion de relations
de coopération avec l'étranger en donnant un interlocuteur officiel à d'éventuels partenaires. En accordant la double nationalité au film coproduit, cette
formule permet, outre l'apport d'une nouvelle source
de financement, de bénéficier de tous les avantages
consentis aux films nationaux dans les deux pays.
Cela explique que le développement des coproductions se soit polarisé, à ses débuts, entre la France et
l'Italie (premier accord en 1949), pays qui dispo-
saient tous deux d'un système d'aide à la production.
La coproduction a vu, à partir des années 1970, son
application réduite avec la dégradation de la situation économique des industries cinématographiques
en Europe. Le constat d'échec des accords de coproduction entre la France et l'Allemagne depuis de
nombreuses années a conduit les deux pays à lancer
en 2001 une académie franco-allemande destinée à
réactiver les accords de promotion et de distribution,
à développer des actions communes de formation et
à inciter aux coproductions.
Dès 1981, avec l'arrivée de Jack Lang au ministère
de la Culture, est affichée une volonté politique
d'ouverture de la France aux autres cinématographies.
Il s'agissait notamment d'être un pays d'accueil pour
les talents venus du monde entier. Premier producteur
de films en Europe, la France est, par le biais des coproductions qui représentent près de la moitié des
films agréés, le pivot de l'activité cinématographique
européenne. Elle est à l'origine du tiers environ des
films qui se font en Europe et participe au financement de nombreux films étrangers à travers les coproductions mais aussi des aides publiques comme le
Fonds sud créé en 1984.

D) *Un parc de salles dense et diversifié.* – L'existence du soutien automatique a permis une profonde restructuration de l'exploitation : 75 % des écrans de 1985 n'existaient pas en 1967. Par l'intermédiaire des communautés d'intérêt, regroupant des salles appartenant à une même entreprise, les aides automatiques ont constitué une prime à la concentration. Cet encouragement, sans doute nécessaire pour faire face dans les années 1960-1970 à la baisse de la fréquentation, n'a plus le même impact ; l'exploitation, lieu traditionnel de concentration, est en effet depuis quelques années confrontée au développement des multiplexes dans lesquels les entreprises nationales ont conservé – contrairement à ce qui se passe dans la plupart des pays européens – l'initiative de la construction. La totalité du soutien à l'exploitation (53 millions d'euros en 2002) est devenue dérisoire et totalement inadaptée par rapport aux sommes investies dans les multiplexes (20 à 30 millions pour un multiplexe important en moyenne). Les autorités ont le désir de maintenir des salles, pas toujours rentables, qui remplissent une mission de service public, soit par la diversité, la qualité de la programmation et le dynamisme de leur politique d'animation culturelle, soit par la fonction de salle de proximité que leur confère leur situation géographique. L'ADRC (Agence pour le développement régional du cinéma), association créée en 1983 et subventionnée à 90 % par le CNC, a pour mission de compenser la concentration des copies dans les grands équipements, en faisant tirer des copies supplémentaires pour les salles des petites et moyennes communes. Principal résultat de cette politique, la France est un des pays qui, malgré la concentration, dispose du réseau de salles le plus dense et le plus décentralisé au niveau régional.

La mise en place d'une politique publique d'inspiration essentiellement culturelle a eu des répercussions fortes sur l'aménagement du territoire. Plus que le sous-équipement, c'est le suréquipement de certaines zones géographiques et les risques de faillites associés qui menacent désormais localement avec l'accélération de l'implantation des multiplexes. En Italie comme au Royaume-Uni et surtout en France, les pouvoirs publics sont massivement intervenus afin d'éviter que les investisseurs n'entrent dans une logique de compétition aux effets dramatiques. La loi française du 12 avril 1996 soumet à l'autorisation des commissions départementales d'équipement commercial (CDEC) les projets de constructions nouvelles ou de transformations entraînant la création d'un ensemble de salles au-delà d'un seuil porté à 300 places en 2003. La réglementation peut paraître peu contraignante puisque deux tiers des projets sont acceptés mais son existence même a conduit les opérateurs privés à l'autocensure. Cette législation, qui a permis d'éviter certaines implantations imprudentes, comporte son lot d'effets pervers. Le fait que la procédure d'autorisation ne s'applique qu'à partir d'un certain nombre de sièges a permis aux opérateurs privés de construire des multiplexes avec un nombre de sièges juste inférieur au seuil à partir duquel la procédure s'exerce. Une des principales carences de la CDEC mise en avant par le rapport Delon tient au fait que cette commission fonctionne souvent comme une « instance de troc » entre élus locaux sans vraiment tenir compte des préoccupations d'aménagement du territoire ou de diversité de l'offre cinématographique. Les décisions de la commission peuvent faire l'objet d'un recours devant la Commission nationale d'équipement commercial (CNEC). Celle-ci a permis de corriger des décisions de CDEC allant à l'encontre de l'intérêt général et conduisant à un risque de suréquipement.

4. Aménagements et remise en cause du système.

A) *Encourager le soutien aux entreprises.* – Dans la plupart des pays européens, les aides sont attribuées aux œuvres plutôt qu'aux entreprises. L'émergence de dispositifs visant les entreprises à partir des années 1980 a correspondu à une logique plus industrielle dans un contexte de concurrence internationale accrue. Il existe ainsi en France une aide aux entreprises de distribution. De plus, les aides à l'exploitation sont essentiellement des aides aux structures. Compte tenu des délais de mobilisation parfois trop longs des aides qui posent des problèmes de trésorerie aux entreprises, de la lourdeur des dossiers à remplir et de la dépense d'énergie collective que nécessitent les commissions (pour décider quelquefois d'accorder 3 000 ou 4000 € à un film), il semblerait préférable d'envisager de réserver une plus grande partie du soutien sélectif aux entreprises, sur la base de programmes de moyen terme, plutôt que de soutenir des projets ponctuels. Un réel suivi des dossiers *ex post* permettrait de laisser aux professionnels la responsabilité des choix effectués[1] dans le cadre d'une enveloppe globale tout en décourageant les formes d'abonnement aux aides.

B) *Limiter la multiplication des aides sélectives.* – Malgré la prédominance toujours réelle du soutien automatique, l'examen de l'évolution du compte sur longue période fait apparaître le développement des

1. Y compris le choix de laisser certains projets ne pas aboutir...

aides sélectives : 18,5 % des dépenses de la section cinéma en 1976, 25 % en 1982, 36 % en 1990 comme
en 2002. Les aides sélectives sont soumises à un feu de
critiques : faiblesse des budgets accordés, choix des
membres des commissions, recevabilité des arguments
d'ordre esthétique (le « j'aime, j'aime pas » de chaque
membre), émiettage des primes ou, au contraire, trop
forte concentration, frontières entre les aides mal défi-
nies... On pourrait ergoter sans fin sur les réformes
possibles à la marge des aides sélectives, aucune solution n'est totalement satisfaisante, la recherche de la
qualité étant très aléatoire comme l'illustre le cas emblématique de l'avance sur recettes. La mission qui lui
avait été attribuée en 1959 était d'« encourager la production de films dont l'ambition artistique prime le
souci de rentabilité commerciale immédiate ». Depuis
sa création, l'avance sur recettes a été accusée de tous
les maux ; on lui a fait grief tour à tour de financer
des projets non rentables – devenant une sorte de mé-
cénat public désintéressé, en fournissant des avances
mal récupérées – ou des projets trop grand public au
mépris de ses ambitions culturelles. La sélectivité de
l'aide est limitée (une demande sur dix est satisfaite,
même si 30 à 40 % de la production annuelle effective
en bénéficie). L'avance représente en moyenne 11 %
du devis des films concernés pour un montant moyen
par film d'environ 300 000 €. Dans les choix faits depuis 1959, la Commission d'avance sur recettes a difficilement pu apprécier avec certitude les talents de demain, elle a péché par excès plutôt que par défaut,
soutenant souvent des metteurs en scène qui n'ont pas
persévéré dans la réalisation.

La mise en place d'aides sélectives multiples traduit
l'existence de réformes perpétuelles pour faire face à la
pluralité d'objectifs et la grande plasticité du système.

En même temps, sous le poids des lobbyings, les pouvoirs publics optent souvent pour une solution qui ne consiste pas à remédier au problème en recherchant à supprimer sa cause mais ils rééquilibrent le système par un autre type d'intervention ; la plasticité ressemble alors à du corporatisme. La plupart des professionnels s'accordent d'ailleurs à reconnaître l'importance du soutien et se montrent très frileux face à d'éventuelles réformes qui remettraient en cause les acquis. Les critiques formulées sont, le plus souvent, des critiques de détail qui ne réfutent pas l'essentiel. Pourtant, c'est la cohérence d'ensemble du système qui peut être discutée compte tenu de la pluralité d'objectifs à atteindre. La forme de financement très particulière du Compte pourrait être remise en cause en raison de la fragilité du système par rapport aux chaînes de télévision, d'un côté, des attaques répétées de Bruxelles sur la TSA et les possibles distorsions à la concurrence qu'entraîne l'ensemble du mécanisme, de l'autre.

II. – **La télévision, bailleur de fonds**

L'augmentation des coûts de production en Europe n'a pu se réaliser que grâce à l'existence des moyens financiers croissants (*tax shelters* ou abris fiscaux, télévisions) créant au niveau de l'ensemble du secteur une forme de surfinancement, même si tous les films n'y ont pas accès. Les banques participant au financement de la production sont peu nombreuses et hautement spécialisées[1]. Pour financer un film, le producteur

---

1. En France, deux établissements, Coficiné et Cofiloisir, assurent à eux seuls la majorité des crédits consentis à l'ensemble des sociétés de production.

cherche un distributeur qui fait une offre contre la cession de droits d'exploitation sur un territoire et un support donné et des diffuseurs à qui le film est prévendu ; les contrats signés stipulent un prix qui sera versé à la remise des copies ; le rôle des banques est d'escompter ce type de contrats. Au Royaume-Uni et en Allemagne, la majeure partie des prêts sont consentis à des producteurs indépendants américains. En France, l'Institut de financement du cinéma et des industries culturelles (IFCIC) a été créé en juin 1983 à l'initiative des pouvoirs publics afin d'aider les entreprises des différents secteurs culturels à obtenir des crédits. Organisme d'incitation, l'IFCIC ne consent pas lui-même de prêts mais intervient en accordant des garanties à une gamme très diversifiée de crédits consentis par les banques et établissements de crédit, sous forme d'une participation en risque. L'Institut est couvert des risques pris par la constitution de fonds de garantie principalement alimentés par l'État. Au départ, les interventions de l'IFCIC concernaient uniquement le cinéma ; cet organisme s'est ensuite doté d'un guichet édition littéraire puis d'un guichet destiné à de petites entreprises d'édition phonographique. Depuis 1994, la proposition de la Commission européenne d'instaurer un fonds de garantie spécialisé dans l'audiovisuel qui opérerait comme assureur auprès des établissements financiers a été largement débattue mais n'a pas abouti en raison notamment du blocage des Allemands et des Britanniques.

La fiscalité exerce elle aussi un rôle important d'incitation au financement. À de rares exceptions près, les pays européens ont accordé à la vente de billets de cinéma comme au livre un taux de TVA réduit, et souvent le taux réduit le plus faible autorisé par la loi ; en France, le cinéma est passé au taux minoré de 7 % en 1979 et de 5,5 % en 1989. En matière de fiscalité toujours, un système relativement sophistiqué a été mis en place dans plusieurs pays afin de contribuer au développement de l'industrie cinématographique : les abris fiscaux *(tax shelters)*. L'Australie a mis en place, la première, ce mécanisme. Fort des expériences étrangères, la loi du 11 juillet 1985 a permis à l'État français de mettre en place un dispositif d'incitation fiscale destiné à favoriser de nouvelles sources de financement de la production cinématographique et audiovisuelle. L'existence des abris fiscaux a pour origine la nécessité reconnue de stimuler l'investissement dans tel ou tel secteur de l'économie et la volonté d'être un mécanisme plus efficace et moins coûteux pour l'État que les subventions directes (coût fiscal de l'ordre de 17 millions d'euros par an). Le bilan de ces sociétés (les Sofica) apparaît aujourd'hui mitigé. L'exonération fiscale a bien facilité la collecte de fonds mais malgré la réforme de 1995 et les restrictions apportées par les pouvoirs publics pour protéger les intérêts des indépendants, les Sofica sont essentiellement l'émanation de groupes bancaires ou audiovisuels ; un nombre limité d'entre elles concentre les moyens financiers et focalise les investissements sur quelques films. Dans de nombreux cas ces sociétés ont permis de procurer à bon compte des ressources pour une production interne à un groupe audiovisuel et ont fourni un produit d'épargne de luxe à quelques contribuables privilégiés détournant largement le système de sa vocation originelle. En matière fiscale toujours, depuis janvier 2004, afin de maintenir les métiers du cinéma sur le territoire national, des crédits d'impôt sont appliqués aux producteurs de films français tournés dans l'Hexagone.

Les distributeurs ont été pendant longtemps une des principales sources de financement du cinéma en Europe. En France, après avoir été des coproducteurs à haut risque sans avoir accès à la propriété du négatif, les distributeurs n'acceptent plus aujourd'hui d'engager des à-valoir importants, et ce, particulièrement pour les films nationaux. Les producteurs de films français tendent, en effet, à céder une partie de leurs droits (télévision et vidéo) afin de pouvoir financer leur projet. Le financement est bouclé en hypothéquant les recettes futures ou en cédant une partie des actifs comme le négatif du film. Tandis que le nombre de spectateurs pour les films français diminue, l'absence de droits autres que ceux de la salle – par définition les plus aléatoires – a donc rendu beaucoup de distributeurs très frileux. Ils refusent non seulement d'engager des à-valoir sur les films français, mais aussi de les distribuer. La participation des distributeurs au financement de la production a été progressivement remplacée par celle des chaînes de télévision.

Certaines chaînes en particulier (Channel Four en Grande-Bretagne, RTBF en Belgique, Canal + en France, ARD et ZDF en Allemagne) jouent un rôle moteur dans le financement. Channel Four, créée en 1982, assure depuis les origines un véritable soutien au cinéma en vertu de son cahier des charges ; avec 12 à 16 films produits chaque année, elle représente le plus important guichet de financement pour les producteurs indépendants britanniques. En matière de télévision, la réglementation dans les divers pays européens, lorsqu'elle existe, consiste essentiellement à faire obligation aux diffuseurs d'investir, en coproductions ou achats de droits de programmes nationaux, un pourcentage de leurs recettes. La France est le seul pays qui oblige toutes les télévisions (publiques comme privées) à participer activement au financement du cinéma. La France et le Portugal ou l'Allemagne introduisent également une participation des chaînes au budget de l'aide publique nationale (budget du CNC en France, de l'IPACA au Portugal, du FFA en Allemagne). En France, la première expérience de collaboration financière entre cinéma et télévision date de 1959 lorsque le film de J. Renoir, *Le testament du docteur Cordelier,* fut coproduit par la télévision. Jusque-là, aucun grand réalisateur de cinéma n'avait travaillé pour la télévision et les promoteurs de l'expérience souhaitaient une sortie simultanée en salle et sur petit écran. L'expérience fut un échec retentissant, et J. Renoir considéré comme un traître par des professionnels très attachés à maintenir un statut différencié entre les activités. Les premiers accords entre cinéma et télévision sont conclus entre le CNC et l'ORTF le 14 mars 1972 ; la hiérarchie du cinéma sur la télévision imprègne toute la politique audiovisuelle française à partir de cette période. En Grande-Bretagne comme aux États-Unis (rappelons que S. Spielberg a fait ses armes en réalisant le premier épisode de Columbo), la frontière cinéma-télévision n'a jamais été aussi tranchée qu'en France et ne repose sur aucun dispositif réglementaire. Les efforts des Britanniques ont porté sur la télévision, perçue comme un puissant vecteur de diffusion culturelle, ce qui a abouti à la création, dès le milieu des années 1950, d'une capacité de production unique en Europe[1]. La télévision produit directement la plupart des films et peut décider, ou non, au vu du produit final, de distribuer le film en salles avant sa diffusion à l'antenne.

---

1. Voir Chaniac, Jézéquel, 1998.

La France se distingue des autres pays européens à partir des années 1970, d'une part par le fait que la majorité des accords entre professionnels du cinéma et de la télévision s'inscrivent dans des décrets et textes de loi, d'autre part parce qu'il s'agit du seul pays qui associe des mécanismes financiers de soutien à la production à une protection des salles contre la concurrence télévisuelle. Le point certainement le plus important des accords de 1972 est d'introduire l'idée d'une participation financière des chaînes au Compte de soutien. Pendant plusieurs années, les sommes resteront modestes et ce n'est qu'en 1986 que l'on assistera à une vraie rupture avec la création d'une taxe sur l'ensemble des recettes des chaînes. À ce dispositif s'ajoutent des obligations d'investissements en coproductions et en pré-achats déterminées dans le cadre des cahiers des charges en application de la loi de 1982, puis redéfinies plusieurs fois ; le décret du 9 juillet 2001 porte les contributions (coproductions et pré-achats) des chaînes en clair hertziennes à 3,2 % de leur chiffre d'affaires net de l'exercice précédent et redéfinit la notion du secteur indépendant auquel les chaînes doivent consacrer 75 % de leurs investissements cinéma. Depuis le 1er janvier 2002, Canal + doit consacrer au moins 20 % de ses ressources à l'acquisition de droits de diffusion des films et, depuis le 1er janvier 2003, les chaînes du câble et du satellite généralistes sont soumises aux mêmes obligations d'investissements que les chaînes hertziennes en clair. L'accord de 1972 introduit, parallèlement aux obligations financières, un certain nombre de mesures visant à limiter la concurrence du petit écran : quotas de films à ne pas dépasser annuellement, interdiction de programmer des films certains jours de la semaine... En 1975, après l'éclatement de l'ORTF, l'industrie cinématographique parvient à imposer l'idée d'une chronologie de diffusion des œuvres ; cette hiérarchisation du passage sur les différents marchés correspond à une stratification sociale du public qui s'exerçait lorsque les films sortaient d'abord dans des salles de première exclusivité. En Espagne et en Allemagne, les fenêtres de diffusion ne sont applicables qu'aux films bénéficiant d'aides publiques ; aux États-Unis, la hiérarchisation temporelle des supports est généralement respectée, mais elle est obtenue par des arrangements contractuels privés. En Europe, les délais législativement formulés jusqu'à la révision de la directive « Télévision sans frontières » en 1997 sont désormais de nature contractuelle, sauf pour la vidéo. La loi se contente de renvoyer aux accords entre chaînes et professionnels ; les délais appliqués en France depuis 2000 sont de six mois pour la vidéo, neuf mois pour le paiement à la séance, douze mois pour la première fenêtre de diffusion payante, et vingt-quatre ou trente-six mois pour la télévision en clair suivant qu'il s'agit ou non de coproductions.

Lorsqu'il s'agit d'évoquer leurs relations financières avec la télévision, les « professionnels de la profession » ont curieusement la mémoire un peu courte. Dans les années 1970, l'ORTF est principalement accusée de profiter de sa situation monopolistique pour concurrencer les salles sans compenser les pertes associées par des contributions financières adaptées ; les prix d'achats des films sont en effet dérisoires. C'est encore en raison de ce risque concurrentiel que la création de Canal + en 1984 suscite l'hostilité générale de la profession cinématographique. Mais la situation évolue très vite. Les interventions des chaînes dans le financement des films français connaissent une accélération brutale au cours de la décennie 1980 (40 %

du financement des films en 2001, contre 8 % en 1980). L'implication des chaînes modifie non seulement le financement de la production, mais aussi les modalités d'amortissement des films pour les producteurs. Une étude[1] sur plus de 800 films français sortis de 1997 à 2001 montre que seuls 23 d'entre eux (soit moins de 3 %) ont amorti leurs coûts de production grâce aux résultats de la salle. Dans tous les grands pays européens, les salles représentent, désormais, moins de la moitié des revenus de l'industrie cinématographique. La vidéo tend à devenir, comme aux États-Unis, une des principales sources de revenus. Le groupe Canal +, si décrié à son origine, occupe en France une place à part, puisque, à travers ses obligations et l'activité de producteur du Studio Canal, il fournit 27 % de l'ensemble des investissements réalisés dans le cinéma en 2000[2] et rassemble une myriade de producteurs, simples prestataires de service pour la chaîne.

Cette manne financière, tant attendue, pose à son tour de sérieux problèmes. Beaucoup s'interrogent sur les conséquences d'un système qui privilégie une logique de préfinancement à une logique d'amortissement contribuant à déconnecter les producteurs des contraintes du marché. Le maintien d'un volume élevé de production n'est pas en soi bénéfique. La multiplication de films produits grâce à l'intervention des télévisions, délaissés par les spectateurs des salles et qui ne servent qu'à remplir des cases horaires et des quotas, ne serait-elle pas dangereuse ? De plus, en mettant l'accent sur l'aide à la production plutôt que

1. Étude CNC-Film français.
2. Soit 215 millions d'euros, en incluant les pré-achats, les investissements en production du Studio Canal France et la participation au Compte de soutien (voir Rapport Rogemont, p. 47).

sur l'aide à la diffusion des films français, les modalités de soutien accentuent le décalage entre le niveau élevé de la production (financée par les télévisions) et les possibilités limitées de sortie des films dans de bonnes conditions. De plus, la télévision, comme tout bailleur de fonds – les distributeurs dans les années 1960, les programmateurs dans les années 1970 –, se voit reprocher de vouloir imposer ses exigences aux créateurs ; tous les financeurs ont toujours pesé sur les décisions de production.

Aujourd'hui, c'est le risque de voir se tarir cette manne financière tant attendue puis tant décriée qui inquiète les professionnels. En 2004, la contribution de Canal + au cinéma sera renégociée dans un contexte de restructuration du groupe Vivendi et de chute des abonnements qui, comme toute recette de la chaîne, sert de base au calcul de la contribution. Peut-on envisager que la très forte contribution de la télévision au Compte de soutien puisse être éternellement reconduite dans un contexte de multiplication des chaînes, de concurrence accrue et de perte d'audience des films à la télévision ? L'année 2002 a, en effet, confirmé la forte érosion de l'audience des films à la télévision aussi bien dans les cinq grands pays européens producteurs qu'aux États-Unis. En France, selon Médiamétrie, on comptait, en 1993, 49 films parmi les 100 meilleures audiences de l'année et l'on n'en compte plus que 23 en 2002. Non seulement le cinéma perd sa suprématie dans le palmarès des chaînes mais encore le cinéma français est en grande partie supplanté par des *blockbusters* américains ; conséquence de cette perte d'audience, la diffusion de films en *prime time* a diminué sur les chaînes généralistes qui n'exploitent plus forcément au maximum leurs possibilités réglementaires de diffusion. Produits de prototype, les films ne peuvent garantir une audience régulière et provoquent une situation hasardeuse pour les publicitaires alors que les séries télé génèrent une audience régulière. Cette situation a conduit les grands réseaux américains dès le début des années 1980 à se désintéresser du cinéma en diffusant au maximum un film de cinéma par semaine au profit du développement précoce des chaînes thématiques payantes et de la vidéo. Paradoxalement, c'est au moment même où l'implication de la télévision dans le financement du cinéma est la plus forte en Europe que les chaînes généralistes peuvent se passer de la diffusion de films[1]. Cette « révolution silencieuse »[2] que l'on peut dater du début des années 1990 remet en cause le modèle télévisuel construit en France et nécessite de rechercher des financements alternatifs.

III. – **L'Europe entre craintes et espoirs**

La Commission européenne a une position ambiguë vis-à-vis du soutien au cinéma ; elle promeut des systèmes de soutien au niveau européen et défend les systèmes nationaux au sein de l'OMC tout en annonçant leur réexamen en fonction de leur compatibilité avec les règles de la concurrence. Toute politique de soutien doit correspondre à des objectifs culturels et non industriels (comme cela avait été le cas lors de l'instauration de la première loi d'aide française en 1948).

1. La situation des chaînes thématiques dédiées au cinéma est, bien entendu, fort différente.
2. Pour reprendre les termes de R. Chaniac et J.-P. Jézéquel, 1998.

1. **Des systèmes de soutien européens.** – À partir du milieu des années 1980, la France a été la principale instigatrice d'une politique cinématographique et plus généralement audiovisuelle au niveau européen. Si la Commission s'est tout d'abord montrée réticente à ses revendications, elle a fini par s'y rallier (reconnaissance des systèmes d'aide) pour devenir à son tour la promotrice d'une politique de soutien aux industries audiovisuelles européennes. La culture et l'audiovisuel représentent, en 2000, 111 millions d'euros, soit 0,1 % du budget de l'Union (budget fort modeste au demeurant)[1] et le cinéma 0,002 %. La plus grande partie de ce budget finance le programme MEDIA. Pour la période 2001-2005, le budget du programme MEDIA est de 400 millions d'euros à répartir entre 17 pays ; ce budget équivaut au montant transitant chaque année en France par le Compte de soutien à l'audiovisuel. Le premier plan d'aide cohérent a vu le jour avec l'accord Eurimages entré en vigueur en 1989, mécanisme multilatéral de soutien aux industries cinématographiques et audiovisuelles destiné à faciliter les opérations de coproductions et la distribution d'œuvres européennes. Cet accord, signé par la plupart des pays membres du Conseil de l'Europe, organise un fonds de soutien alimenté par des fonds publics provenant de chaque pays en fonction de l'importance de sa production cinématographique et audiovisuelle.

Le programme MEDIA (Mesures d'encouragement pour le développement de l'industrie audiovisuelle), créé à l'initiative de la Commission des Communautés européennes, a lui aussi pour but de soutenir

1. Rappelons qu'au niveau national le fameux 1 % du budget de l'État consacré à la culture n'a jamais été réellement atteint.

l'industrie cinématographique et audiovisuelle. Divers types de projets sont aidés (production, distribution, financement, formation) par des apports en capital à titre d'avances remboursables. Tandis qu'Eurimages se concentre sur la production, MEDIA opère en amont et en aval. MEDIA-1 ayant couvert la période 1990-1995, le programme MEDIA-2 a été lancé pour la période 1996-2000 puis MEDIA Plus pour 2001-2005. Partant du constat que près de 80 % des films européens ne franchissent pas les frontières de leur pays d'origine, l'EFDO (European Film Distribution Office) soutient la distribution de films des pays de l'Union et de la Suisse. Dans le cadre du plan MEDIA toujours, « Europa Cinéma » fédère un réseau de salles qui reçoivent un soutien à condition de consacrer au moins 50 % des séances à des films européens. Alors que MEDIA-1 privilégiait l'aide sélective, MEDIA-2 a adopté le modèle français de soutien automatique à la distribution. À l'exception des filiales des majors américaines, tout distributeur européen qui diffuse un film européen coproduit majoritairement dans son pays reçoit une aide proportionnelle aux résultats sur son territoire. Le principe retenu en 1998 par la Commission est calqué sur le modèle français, à la différence près que le compte n'est pas alimenté par une taxe sur le prix du billet mais par une enveloppe annuelle fermée, octroyée par le programme MEDIA. Ce premier pas vers la création d'un Compte de soutien européen au cinéma concerne des montants encore très modestes.

2. **Compatibilité entre aides sectorielles et politique de la concurrence.** – À l'opposé de ces actions en faveur du cinéma, l'Union européenne, dans son application du droit de la concurrence, est souvent perçue comme une menace pour les systèmes de sou-

tien nationaux. Le recours au droit de la concurrence est lui-même ambigu dans le cinéma puisqu'il apparaît comme un recours pour les professionnels lorsqu'il s'agit de limiter les actions d'opérateurs privés en position dominante et comme une menace envers les politiques culturelles.

Au niveau national, en dehors des lois qui répriment les abus de position dominante et les pratiques anti-concurrentielles, la plupart des pays se sont dotés d'une législation anti-concentration spécifique au secteur de la communication. En France, l'autorité compétente est la même que pour les autres activités économiques, le Conseil de la concurrence. Des dispositifs spécifiques issus de textes épars réglementent notamment les groupements d'entente de programmation dans les salles au niveau national, limitent à 49 % la part qu'une ou plusieurs chaînes de télévision peuvent détenir dans le négatif d'un film, favorisent via un médiateur l'accès des indépendants aux films, surveillent les pratiques tarifaires... Le Conseil de la concurrence a rendu en 1998 une décision condamnant Canal +, accusé d'abus de position dominante, à cesser de lier les pré-achats de droits de diffusion de la télévision par abonnement à la condition que le producteur renonce à céder ses droits de diffusion à tout autre opérateur pour le paiement à la séance. Le Conseil de la concurrence puis la cour d'appel de Paris en 1999 ont ainsi remis en cause les pratiques de Canal + contestées par Multivision, chaîne de paiement à la séance du bouquet TPS.

Au niveau européen, le respect de la concurrence est un des domaines où la Commission dispose d'un pouvoir ancien et a déjà usé de ses prérogatives à plusieurs reprises : exigence imposée à Vivendi de céder sa participation dans BskyB, refus de l'acquisition d'EMI par AOL-Time Warner... Vis-à-vis des États, la Commission voit dans les systèmes d'aide nationaux (en matière culturelle comme dans n'importe quelle activité) autant de distorsions possibles aux règles de la concurrence entre entreprises au sein de l'Union. L'industrie de prototype que constitue le cinéma est ainsi traitée de façon identique à n'importe quelle activité sans tenir compte du fait que les films européens sont peu en concurrence entre eux. À cette pression de la Commission européenne s'ajoute celle exercée par les États-Unis dans le cadre de l'OMC. En France, les aides automatiques sont accessibles sur la base de critères de nationalité. Les systèmes de points appliqués pour l'accès au Compte de soutien sont très discriminants pour les coproductions françaises en position minoritaire ; seules quatre aides sélectives ne font pas entrer le critère de nationalité : l'aide sélective à la distribution, l'aide aux cinématographies peu diffusées, l'aide aux œuvres cinématographiques en langue étrangère et l'aide sélective à l'édition vidéo. La taxe spéciale, lorsqu'elle s'applique au prix d'une place payée pour la vision d'un film étranger, constitue une charge équivalente à un véritable droit de douane ; cet élément devient plus essentiel encore au système lorsque, comme en 2002, le cinéma américain représente 50 % des entrées dans les salles. La Commission européenne tout en annonçant en mars 2004 sa décision de maintenir inchangé pour trois ans le régime actuel des aides publiques aux productions cinématographiques et télévisuelles au sein de l'Union a prévu de réaliser une évaluation d'ici 2007 en vue d'une réforme prochaine du régime.

Chapitre V

LE CINÉMA HOLLYWOODIEN
DES EUROPÉENS

La forte domination américaine dans l'audiovisuel européen a donné lieu à deux formes de réponses complémentaires, une réponse industrielle à travers les tentatives de constitutions de majors européennes et une réponse politique à travers les débats sur l'exception culturelle.

I. – Le marché européen
dominé par les États-Unis

1. Le commerce international de films. – La mondialisation de la culture désigne d'abord l'intensification de la circulation des flux marchands à l'échelle de la planète mais toutes les productions ne circulent pas de la même manière. En Europe de l'Ouest, une dizaine de pays pourtant désavantagés par la taille de leur marché intérieur parviennent à produire entre 10 et 20 films par an (Autriche, Belgique, Danemark, Finlande, Grèce, Irlande, Norvège, Portugal, Suède, Suisse) ; la France reste le seul pays à produire plus de 150 films par an. Mais, en dehors des productions américaines, le marché européen de 320 millions d'âmes virtuelles n'existe pas et même d'immenses succès en salles comme *Les visiteurs* en France ou *Il Mostro* en Italie restent purement nationaux. À la télévision, une étude réalisée en 1997 par l'Observatoire européen de l'audiovisuel montrait que, dans la programmation de 92 chaînes européennes, les programmes de fiction importés étaient d'origine européenne dans moins de 19 % des cas.

La France, bien que deuxième pays exportateur de cinéma dans le monde, représente à peine 1 % du marché américain. Les productions circulent essentiellement à l'intérieur de l'Europe ; l'Afrique et l'Amérique latine ne représentent plus d'enjeux commerciaux mais des territoires propres à l'action culturelle. Malgré le volontarisme affiché par les professionnels et l'engagement des pouvoirs publics[1], les recettes d'exportation stagnent depuis dix ans, même si, en 2002, 60 millions de spectateurs dans le monde ont vu des films français. Depuis la réforme de l'agrément en 1999, un film tourné en langue anglaise peut acquérir la nationalité française à condition d'obtenir un certain nombre de points au sein d'un barème établi par le CNC (voir chap. IV). *Léon* ou *Le cinquième élément* tournés en anglais ont été de gros succès. *Le fabuleux destin d'Amélie Poulain,* film d'auteur tourné en français sur un sujet très français, reste, avec ses 60 millions de recettes aux États-Unis et ses 22 millions de spectateurs hors de France, l'exception qui cache une situation plus mitigée.

En 2002, avec environ 600 films produits, les États-Unis, 2e producteur mondial après l'Inde (800 films par an), dominent une grande partie des écrans mondiaux ; la part de marché du film américain dans les 15 pays de l'Union est de 64 % en 2002, contre 56 % en 1985. L'Allemagne et le

1. Voir Gras, 1999.

Royaume-Uni restent les pays où les films américains rencontrent les plus gros succès. Le film national est complètement marginalisé dans les pays ayant un faible niveau de production (Portugal, Grèce, Belgique). Dans les 50 plus gros succès commerciaux de l'Union en 2001, on trouve 34 films américains[1]. La programmation des films américains sur les chaînes de télévision varie considérablement d'un pays à l'autre mais l'on peut considérer qu'en moyenne une heure sur trois de programmes en Europe est américaine. La France, seul pays européen à ne généralement pas accorder plus de 60 % de ses écrans aux films américains, a cependant, elle aussi, connu ce mouvement général : le film américain représente 20 % des entrées en 1973, 35 % en 1980, 45 % en 1988, 63 % en 2000, et 50 % en 2002. Il semble important, tout autant que le développement de la production américaine, de souligner que les grands perdants sont les autres pays (du reste de l'Europe, d'Asie, d'Amérique latine...). Ces cinématographies qui avaient, au début des années 1970, une audience comparable ou supérieure à celle des films américains, ne rassemblent plus que 8 % des spectateurs en 1996 pour remonter au cours des toutes dernières années et atteindre 15 % en 2002 en France. L'explosion du marché de la vidéo ne fait qu'accentuer la domination du cinéma américain (80 % en moyenne du chiffres d'affaires réalisé par les films sortis en vidéo). Dans l'ensemble de l'Union européenne, la part des films non originaires des États-Unis ou de l'Union européenne elle-même se limite à 4 % du marché en 2002.

1. OEA, 2002.

L'asymétrie des échanges audiovisuels trouve plusieurs types d'explications. L'explication économique classique en termes d'avantages comparatifs tient à la taille du marché intérieur nord-américain où 260 millions de consommateurs disposant de revenus élevés et parlant la même langue se rendent en moyenne deux fois plus souvent que les Européens dans les salles (5,3 fois en 2002). Pourtant, les films qui arrivent en Europe sont loin d'avoir tous été amortis sur leur territoire national. Le marché international représente une grande partie des revenus de l'audiovisuel américain (près de la moitié du chiffre d'affaires des majors provient de l'étranger). En 2000, avec 15 milliards de dollars de produits vendus dans le monde, l'audiovisuel est le deuxième poste américain d'exportations ; 60 % de ces exportations sont destinées à l'Union européenne. Le déficit annuel des échanges entre l'Union européenne et les États-Unis pour les films et les programmes audiovisuels est évalué à 6 milliards d'euros en 2000. L'exportation de films, comme la taille du marché intérieur, représente donc pour les Américains un enjeu économique majeur.

Les avantages comparatifs des États-Unis tiennent tout autant à leur professionnalisme qu'à la taille de leur marché intérieur. Depuis les années 1920-1930, les firmes hollywoodiennes ont construit des organisations d'une remarquable efficacité, accumulant un savoir-faire construit sur la contribution d'immigrants venus d'Europe par vagues successives, contraints d'emblée de s'adapter à un public culturellement hétérogène. La concentration des talents, des ressources et des compétences à Los Angeles garantit un avantage comparatif indéniable. Ce professionnalisme contraste avec certaines pratiques européennes. En France, le rapport Gassot a mis en lumière un de ces aspects, la faiblesse des dépenses d'écriture de scénarios ; celles-ci ne représentent que 2,2 % des investissements totaux d'un film alors que les frais de sortie s'élèvent à 6 % du budget et que la plupart des secteurs accordent 10 % de leurs investissements aux frais de recherche et développement. En 1999, sur 150 films d'initiative française, seuls sept ont des réalisateurs et des scénaristes totalement distincts, 92 étant écrits en collaboration. Le métier de scénariste, mal rémunéré, culturellement moins valorisé que celui de réalisateur, attire peu les jeunes. Les producteurs assumant seuls le risque à ce stade sont conduits à mettre le projet en production même s'il n'est pas complètement abouti, par simple incapacité à revenir en arrière ; aux États-Unis, au contraire, les phases très longues de réécriture impliquent que l'on puisse investir des sommes très importantes (10 % du budget de production en moyenne) lors de cette étape, éventuellement à perte. Le pouvoir de distribution et de promotion des majors américaines (essentiellement Columbia, Fox, UIP, Warner), adapté à des productions susceptibles de faire le tour du monde, est également un puissant atout pour asseoir leur suprématie commerciale. Les distributeurs américains ont, par la taille de leur catalogue et l'attrait des films dont ils disposent, accès à des conditions de négociations avantageuses auprès des exploitants européens, ce qui leur procure un avantage absolu de coût. Lorsque Almodovar réalise, avec l'argent de producteurs français, des films espagnols, c'est Warner qui les distribue dans toute l'Europe. L'importance des budgets de promotion dépensés par les Américains joue comme une barrière à l'entrée pour les films européens : leur montant moyen est de 2 millions d'euros alors qu'il n'est « que » de 500 000 € en France[1].

Dernier élément, la domination du film américain en parts de marché tient tout autant à une perte d'appétence des spectateurs pour les films européens qu'à une ruée vers les films américains. En valeur absolue, la fréquentation des films américains en Europe reste d'une relative stabilité : autour de 400 millions d'entrées depuis le milieu des années 1970, elle a augmenté à partir de 1989 pour atteindre près de 600 millions en 2001. Surtout, en Europe, la capacité à traiter certains genres (policier, aventure, science-fiction, film pour enfants...) a quasiment disparu, captée par la télévision ou dénigrée au prétexte qu'elle copiait le cinéma américain[2]. Les Européens ont progressivement abandonné ces segments de marché, pourtant quantitativement les plus nombreux (les films pour enfants et les policiers représentent le tiers des entrées françaises en moyenne au cours de la décennie 1990).

2. **Les investissements en Europe.** – Les images américaines ne sont pas seulement vendues en Europe, elles sont aussi produites et diffusées par des sociétés possédées ou financées par des capitaux américains. En matière d'investissements, la présence des États-Unis en Europe est ancienne et a reçu dès la fin des années 1920 l'appui du gouvernement américain. La présence des États-Unis, très importante dans la distribution, plus modeste dans la production, s'accentue, les majors redécouvrant depuis les années 1990 les avantages des studios

1. Rapport Leclerc.
2. Forest in Paris, 2002.

européens. Beaucoup de tournages américains s'expatrient (notamment en Grande-Bretagne et en Italie) afin de bénéficier de conditions moins onéreuses ; de plus, les firmes hollywoodiennes établissent des contrats de coproduction avec des sociétés européennes afin d'attirer un public local. La possibilité de s'appuyer sur des partenaires solides attire de nombreux producteurs européens tandis que les firmes américaines cherchent également à profiter des systèmes d'aide européens. Warner envisage la création d'une filiale de production qui pourrait – sous réserve de prouver qu'elle n'est pas contrôlée par une personne physique ou morale n'appartenant pas à l'Union européenne – financer des films français (*Un long dimanche de fiançailles* de J.-P. Jeunet) en ayant accès au Compte de soutien. Ce retour à la situation des années 1970 – où des films comme *Fahrenheit 451* de François Truffaut étaient financés par Universal – serait, comme toujours, conditionné au réinvestissement des aides dans des films français.

Du côté de l'exploitation, les mouvements internationaux de capitaux dans les multiplexes proviennent essentiellement de sociétés dominées par des capitaux américains. Implantées à l'origine en Grande-Bretagne, UCI, AMC et Warner ont ensuite pénétré d'autres territoires européens, évitant le plus souvent d'être en concurrence frontale. La France, la Belgique ou la Suède, grâce notamment à la forte présence de firmes historiques, ont échappé à ce mouvement ; en outre, certains groupes européens ont implanté des salles à l'étranger : UGC est présente en Espagne, en Belgique, au Royaume-Uni, Pathé en Espagne et en Hollande ; la famille Bert-Claeys (Kinépolis), à partir de sa situation de leader en

Belgique, a développé des projets en France et dans d'autres pays européens comme l'Autriche ou l'Espagne. De même, le Suédois Sandrew Films ou l'Allemand Constantin ont implanté des salles hors de leurs frontières. Profitant de la confusion créée à l'occasion de la passation de pouvoir entre les ministres de la culture P. Douste-Blazy et C. Trautmann, l'exploitant américain, AMC, fondateur de ce type d'équipement, a, pour la première fois en 1997, été autorisé à construire un multiplexe dans la banlieue de Dunkerque en France. Enfin, les firmes américaines ont largement investi au cours des dernières années dans la coproduction de programmes télévisuels et la création de chaînes à la faveur de l'ouverture du paysage audiovisuel européen et du besoin accru de programmes concomitant[1].

II. – La notion de major européenne a-t-elle un sens ?

Malgré quelques tentatives, il n'existe pas de société de production ou de distribution active au niveau de l'ensemble des pays européens. Plutôt que de coopérer, les grands distributeurs européens, soucieux d'avoir directement accès aux catalogues américains, ont développé des accords de coopération avec les firmes d'outre-Atlantique : Lauren Films avec Buena Vista en Espagne, Silvio Berlusconi Communications avec Castle Rock Entertainment et BIM avec Columbia en Italie ; en France, des accords ont été signés entre Gaumont et Buena Vista International pour la

---

1. Pour un panorama détaillé de ces investissements, voir Augros, 1999.

distribution des films Walt Disney en 1993 et entre UGC et la Fox en 1995 (sous forme d'une filiale commune, UFD). UFD, Pathé Distribution et Gaumont-Buena Vista représentent respectivement 14, 12 et 10 % de parts de marché de la distribution en France en 2002.

L'échec de PFE (Polygram Filmed Entertainment) à se constituer en major européenne mérite d'être analysé. Filiale de Philips, Polygram entame à partir de 1991 à travers PFE une stratégie d'entrée dans le secteur cinématographique en tentant d'importer une organisation de ses structures calquée sur celle qui a fait son succès dans le domaine musical : le système des labels dans lequel chacun garde son équipe, sa liberté de création dans la limite d'un certain budget. Ce type d'organisation permet de réaliser un travail plus spécifique, adapté à chaque film et à chaque marché. Cette structure marque une rupture avec l'organisation type de la production d'une major américaine qui exerce un contrôle sévère sur le contenu des films. La puissance financière, l'intégration verticale entre production et distribution, la maîtrise des circuits de distribution sur le plan international ont permis de comparer PFE aux majors hollywoodiennes. Cependant, PFE s'éloigne fondamentalement du système hollywoodien. Le modèle, fondé sur des partenariats et l'autonomie (au moins décisionnelle en matière de choix artistiques) en lieu et place de la domination et des rapports de sous-traitance, a montré ses limites financières. Adaptée aux films à petits et moyens budgets, cette stratégie a conduit à de nombreux échecs lorsqu'il s'est agi de productions plus importantes. Un des principaux problèmes est l'insuffisante homogénéité du marché et du circuit de salles en Europe. L'industrie cinématographique américaine peut espérer amortir ses coûts fixes grâce à la taille de son marché intérieur et l'influence qu'elle exerce sur les marchés mondiaux. L'expérience montre que les marchés européens s'avèrent, quant à eux, trop étroits au regard des coûts unitaires du cinéma pour exister de manière diversifiée sans protection. Philips, la maison mère, plus intéressée par la bataille des matériels que par celle des contenus, a finalement cédé Polygram en 1998 au groupe canadien de vins et spiritueux Seagram, déjà propriétaire de Universal, donnant naissance au premier groupe de l'industrie phonographique, Universal Music (Universal + Polygram). Début 1999, après l'échec d'une vente de Polygram « par appartements », c'est finalement le studio de films Universal qui hérite de la structure européenne PFE et de ses deux secteurs d'activité, télévision et cinéma. L'intégration définitive de PFE dans Universal a brutalement mis fin à la possibilité de voir se constituer le groupe en major européenne. La partie cinéma du groupe a ensuite été intégrée dans la nouvelle entité, Vivendi-Universal.

La logique même de constitution d'une « major européenne » faisant concurrence aux majors américaines apparaît source de fortes ambiguïtés. D'un côté, le modèle de Polygram, en se différenciant des pratiques hollywoodiennes, n'a pas montré sa viabilité financière. D'un autre côté, un modèle calqué sur Hollywood n'est pas forcément pertinent. Il n'existe pas un « cinéma européen » ou « américain » mais des films fabriqués avec des capitaux et par des individus provenant de divers pays. Quel but cherche-t-on à atteindre avec la constitution d'une major européenne ? S'agit-il d'organiser le marché de façon que l'industrie culturelle nationale ou régionale (l'Union européenne) soit compétitive en encourageant les champions nationaux ou s'agit-il de favoriser la diversité de productions reflétant des identités locales ? Dans ce dernier cas, il ne faut pas seulement permettre aux entreprises européennes de fabriquer des images mais surtout leur permettre de produire des images différenciées de celles proposées par les États-Unis. Or rien ne garantit que les stratégies menées par de grands groupes européens soient très différentes, en termes de diversité culturelle, de celles des majors américaines ; seuls des avantages industriels seraient, à coup sûr, attendus.

III. – Exception, diversité : quelle politique culturelle pour l'Europe de demain ?

Les pouvoirs publics doivent-ils protéger la culture pour affirmer une identité nationale face à la mondialisation et à l'homogénéisation culturelle – essentiellement américaine – à laquelle conduit le libre échange ? Il est souvent avancé que la libéralisation du secteur audiovisuel en Europe entraînera inéluctablement une invasion de programmes américains en vertu de la théorie classique des avantages comparatifs avancée par Ricardo au XVIIIe siècle. En matière d'audiovisuel, on l'a vu, l'importance de la taille du marché américain (en termes de revenus et de population) permettrait de générer des volumes importants de produits dont le coût de revient rapporté à chaque utilisateur serait faible malgré des budgets de production particulièrement élevés. Les tentations protectionnistes contre la domination américaine ont donné lieu dès l'origine de l'industrie cinématographique à un face-à-face essentiellement franco-américain avant de s'élargir à l'ensemble de l'Europe et à l'ensemble de l'audio-visuel. Dès 1946, les accords Blum-Byrnes visent à aider la France dans sa phase de reconstruction grâce à l'octroi d'un prêt de 650 millions de dollars à faible taux d'intérêt en contrepartie d'une abrogation de toute mesure douanière restrictive à l'encontre des productions américaines. Cet arrangement négocié à la demande des Américains visait à répondre au souci des majors de retrouver un accès aux écrans français après l'interruption de la guerre. Le compromis consistait à n'apporter aucune restriction à l'entrée des films américains en France en échange de la mise en place de quotas-écrans (projection de films français pendant quatre semaines par trimestre). Ces accords régulièrement présentés uniquement comme ayant favorisé l'entrée sur le territoire français des films américains étaient, replacés dans un contexte plus global, une concession accordée par les États-Unis à la France en faveur d'une industrie en difficulté. Plutôt que des mesures commerciales de protection, les pouvoirs publics français vont instaurer un mécanisme de soutien original au cinéma dès 1948. L'attitude de la France cherchant à maintenir son système d'aide face à l'hostilité de la Commission européenne est reproduite quarante ans plus tard dans les négociations du GATT.

En Europe, des mesures visant à protéger l'industrie de la concurrence étrangère se mettent en place dans les années 1980 ; la question des quotas se déplace des films en salles vers les nouveaux supports de diffusion de l'ensemble des œuvres audiovisuelles. L'Espagne est le seul pays européen qui, depuis une loi adoptée en 2000, utilise la formule des quotas dans les salles (un film sur trois doit être européen), formule que beaucoup d'autres pays européens avaient abandonnée depuis longtemps. Les quotas de télévision se situent à un double niveau, celui de la production (obligation pour les chaînes de consacrer un pourcentage de leur chiffre d'affaires annuel net à la commande d'œuvres audiovisuelles européennes) et celui de la diffusion (obligation de diffuser un pourcentage d'œuvres européennes dans le temps annuellement consacré à la diffusion d'œuvres audiovisuelles). Ce sont les quotas de diffusion qui ont fait l'objet des plus vives controverses lors de l'adoption, le 3 octobre 1989 par le Conseil des Communautés, de la directive dite « Télévision sans frontières ». Destinée à favoriser la circulation des images et des œuvres audiovisuelles au sein de l'Europe, cette directive va parallèlement renforcer la légitimité de la politique des quotas sur les chaînes de télévision à l'encontre des pays extérieurs à la Communauté.

En 1986, s'engagent les négociations de l'« Uruguay Round » qui visent notamment à étendre aux services et à d'autres domaines comme les droits de propriété intellectuelle les principes libre-échangistes de 1947. En décidant d'élargir le champ des négociations commerciales aux services, les États n'avaient sans doute pas envisagé spécifiquement l'audiovisuel[1]. À mesure que se précisait l'accord général sur le commerce des services (General Agreement on Trade in Services – GATS), il devint clair que son application à ce secteur conduirait à une remise en cause générale des systèmes de soutien élaborés en Europe. Le principe de la nation la plus favorisée,

1. Au sens des contenus de programmes, les matériels audiovisuels comme les récepteurs de télévision, les magnétoscopes... relèvent, quant à eux, du droit commun du commerce des marchandises.

appliqué au cinéma, signifie que les avantages accordés aux pays africains dans un esprit d'aide au développement ou d'essor de la francophonie ou encore à ceux d'Europe centrale ou orientale dans le cadre de la politique audiovisuelle du Conseil de l'Europe pourraient être invalidés sauf à être étendus à tout autre État. Présenté comme une victoire politique pour les Européens, le compromis final de 1993, la fameuse « exception culturelle », aboutit à une situation complexe. Contrairement à ce qui a souvent été repris par la presse, les Européens n'ont pas obtenu – ni même vraiment demandé – que l'audiovisuel soit exclu de l'accord général sur le commerce et les services, un des piliers de l'OMC (qui remplace le GATT) ; mais, à la différence du commerce des marchandises, en matière de services, chaque État ou groupe (comme l'Union européenne) peut choisir le degré d'ouverture qu'il souhaite. La solution pragmatique choisie (ne pas s'engager à libéraliser les services audiovisuels mais ne pas chercher non plus à définir une annexe spécifique pour ce secteur au sein du GATT) a permis à l'Union européenne de bénéficier d'une protection contre des mesures unilatérales de rétorsion commerciale (par nature proscrites par l'OMC) tout en gardant sa marge de manœuvre pour initier de nouvelles modalités de régulation de l'audiovisuel. Depuis la révision de la directive « Télévision sans frontières » en 1997, l'Union n'a pas proposé de mesures d'intervention additionnelles significatives mais plusieurs États membres ont, à titre individuel, développé des mesures de promotion de leur industrie audiovisuelle. N'ayant pas été exclu des négociations du GATS, la compétence de l'OMC reste potentielle pour l'audiovisuel dont le statut doit être renégocié dans le nouveau cycle ouvert à Doha (capitale du Qatar) en novembre 2001 et qui devrait aboutir en 2005.

D'initiative française, l'exception culturelle voulait surtout être un véritable levier d'action international. Le compromis de 1993 a permis à plusieurs pays de ne pas souscrire d'engagement de libéralisation des échanges audiovisuels. En Corée, un système de quotas de diffusion qui impose un nombre minimal de jours de programmation de films nationaux dans l'année a été mis en place en 1993 malgré la forte pression des États-Unis. Cette politique de *screen quotas* a contribué à un net accroissement de la part de marché des films nationaux (16 % en 1993, 46 % en 2002). Le rempart de l'exception culturelle, justifiant des soutiens nationaux aux activités culturelles, a cependant progressivement pris l'allure d'une ligne Maginot face à la mondialisation, au poids économique des groupes de communication et aux avancées technologiques qui autorisent de nouvelles conditions économiques de diffusion des œuvres. Il semble difficile d'imposer par des quotas aux télévisions nationales de programmer des œuvres audiovisuelles aux coûts élevés, sans ébranler leur équilibre financier déjà précaire, alors que les chaînes étrangères via le satellite diffusent sans contraintes sur le territoire national. Les déclarations de J.-M. Messier annonçant, fin 2001, la fin de l'exception culturelle ont provoqué en France un tollé de réactions enflammées redonnant paradoxalement vie à un concept auquel la Commission européenne avait elle-même renoncé. C'est en effet au cours des négociations de l'OMC à Seattle en 1999 que la Commission a abandonné la notion d'exception culturelle, d'allure trop défensive et protectionniste, au profit d'une notion plus neutre, visant elle aussi à valoriser les identités et la diversité des appartenances culturelles. Concept un peu mou, la diversité culturelle n'a aucune pertinence juridique et, contrairement à « l'exception », négociée dans le cadre d'un traité international en 1993, elle ne relève d'aucun engagement politique sérieux, et c'est sans doute pour cela qu'elle fait l'objet d'une approbation unanime. La notion d'exception culturelle a donc quasiment disparu des discours officiels au profit de celle de diversité, réputée plus consensuelle. L'Unesco a elle aussi adopté en 2001 une Déclaration universelle sur la diversité culturelle sans véritable portée pratique tout en proposant un projet de convention plus opératoire d'ici 2005.

L'hégémonie américaine contestée par les Européens dans le domaine culturel n'est que le reflet de leur hégémonie économique, scientifique, technologique et militaire, bien souvent largement acceptée – voire recherchée (comme parfois dans le domaine militaire) – par les Européens par ailleurs. Le libéralisme culturel n'est que le reflet du libéralisme économique qui s'étend à tous les secteurs d'activités. C'est le principe même de ces évolutions qu'il convient d'accepter ou contre lequel il convient de lutter dans le cadre de la construction d'une Europe culturelle et politique qui soit une alternative au modèle libéral américain. Une hypothétique « exception » défendue de manière isolée et corporatiste par les seuls milieux artistiques ne peut qu'être vouée, à terme, à l'échec. La mondialisation et la marchandisation d'un certain nombre d'autres activités humaines sont elles aussi aujourd'hui contestées dans divers secteurs (santé, éducation, formation, recherche...). La culture pourrait être le fer de lance d'une remise en cause plus générale de l'ordre du monde ; dans la mesure où elle véhicule les valeurs d'une société, elle est en première ligne lorsqu'il s'agit de savoir quelle place cette société est en droit de revendiquer dans le monde de demain.

BIBLIOGRAPHIE

Augros J., *L'argent d'Hollywood,* L'Harmattan, 1996.

Augros J., Les investissements américains dans l'audiovisuel européen, *in* L. Creton (dir.), *Le cinéma et l'argent,* Nathan, 1999.

Becker H. S., *Les mondes de l'art,* Flammarion, 1988.

Bomsel O., Leblanc G., *Dernier tango argentique,* Les Presses de l'École des Mines, 2002.

Bonnell R., *La vingt-cinquième image,* Gallimard, 2001.

Chaniac R., Jézéquel J.-P., *Télévision et cinéma, le désenchantement,* Nathan, 1998.

CNC, *Les cartes à entrées illimitées au cinéma,* 2002.

Couveinhes P., *Les industries techniques du cinéma et de l'audiovisuel : situation du secteur et recommandations pour l'avenir,* Rapport à M. le Ministre de la Culture et de la Communication, 2002.

Creton L., *Économie du cinéma, perspectives stratégiques,* Nathan Université, 1994.

Creton L. (sous la dir. de), *Le cinéma à l'épreuve du système télévisuel,* CNRS Éditions, 2002.

Danard B., Le Champion R., *Télévision de pénurie, télévision d'abondance,* La Documentation française, 2000.

Delon F., *Les multiplexes,* Rapport du Conseil d'État, 2000.

Duchet C., Cinéma et publicité : le droit d'asile, *in* L. Creton (dir.), *Le cinéma et l'argent,* Nathan, 1999.

Faulkner R. R., *Composers and Careers in the Hollywood Film Industry,* New Brunswick, Transaction Books, 1982.

Fernandez-Blanco V., Banos Pino J., Cinema demand in Spain, a cointegration analysis, *Journal of Cultural Economics,* 21, 1997.

Filer R., The starving artist, myth or reality ?, *Journal of Political Economy,* n° 94, 1986.

Forest C., *Les dernières séances, cent ans d'exploitation des salles de cinéma,* CNRS-Éditions, 1995.

Forest C., *Économies contemporaines du cinéma en Europe,* CNRS Éditions, 2001.

Gassot C., *Rapport sur l'écriture et le développement des scénarios de films de long métrage,* Rapport pour M. la Ministre de la Culture, 2000.

Gras P., L'exportation du cinéma français, *in* L. Creton (dir.), *Le cinéma et l'argent,* Nathan, 1999.

Greffe X., *L'emploi culturel,* Anthropos, 1999.

Guy J.-M., *La culture cinématographique des Français,* La Documentation française, 2000.

Leclerc J.-P., *Réflexions sur le dispositif français de soutien à la production cinématographique,* Rapport établi à la demande du ministre de la Culture et de la Communication, 2003.

Menger P.-M., Marché du travail artistique et socialisation du risque, le cas des arts du spectacle, *Revue française de sociologie,* vol. 32, 1991.

Menger P.-M., *La profession de comédien,* La Documentation française, 1997.

Ory-Lavollée B., *La diffusion numérique du patrimoine. Dimension de la politique culturelle,* Rapport à M. la Ministre de la Culture et de la Communication, 2002.

Paris T. (sous la dir. de), *Quelle diversité face à Hollywood ?,* Cinémaction, 2002.

Rifkin J., *L'âge de l'accès, la révolution de la nouvelle économie,* La Découverte, 2000.

Rogemont M., *Quel avenir pour le cinéma en France et en Europe ?,* document d'information de l'Assemblée nationale, 2002.

Sauvaget D., L'argent de l'État et la filière cinématographique française, *in* L. Creton (dir.), *Le cinéma et l'argent,* Nathan, 1999.

TABLE DES MATIÈRES

Imprimé en France
par Vendôme Impressions
Groupe Landais
73, avenue Ronsard, 41100 Vendôme
Mai 2004 — N° 51 192